Gratins et soufflés

Gratins
et
Soufflés

80 recettes illustrées
pour toutes les occasions

FRANCE LOISIRS

Titre original de cet ouvrage :
AUFLÄUFE, GRATINS UND SOUFFLÉS

Traduit de l'allemand par Fabienne Gonzalez
Adapté par Danièle de Yparraguirre

ISBN édition originale : 3-7742-5232-7
ISBN édition française : 2-7242-3789-7
Édition du club France Loisirs avec l'autorisation des Éditions Solar

Photos : Christian Teubner, sauf pages 9, 11, 21, 31, 35, 43, 45, 51, 89 (Nicolas Leser)
Rédaction : Antje Schunka-Späth
Photocomposition : Nord Compo, Villeneuve-d'Ascq

Table des recettes

Introduction et conseils pratiques

Les gratins et les soufflés sont des plats beaucoup plus diversifiés que l'on ne se l'imagine ; cela tient au fait que tout ingrédient, ou presque, peut être à la base d'un gratin ou d'un soufflé. Dans les deux cas, c'est la sauce Béchamel qui sert, en quelque sorte, de fil conducteur à la préparation. En ce qui concerne les gratins, elle est répandue sur le dessus des aliments (légumes, viandes, poissons, pâtes, etc.) pour les rendre plus moelleux : dans les soufflés, elle est mêlée à d'autres ingrédients qui permettent de donner le goût spécifique du soufflé. Toutes les variétés, toutes les créations, toutes les improvisations sont les bienvenues et, enfin, voici une manière sympathique et originale de finir les restes...

Les gratins

Un gratin permet en effet de remarquables possibilités de combinaisons de divers ingrédients, toutes aussi délicieuses et originales les unes que les autres.
Un autre avantage consiste à pouvoir préparer les gratins (en partie, tout au moins) quelques heures à l'avance, sauf la sauce qui, elle, doit toujours être faite juste avant la cuisson afin d'éviter qu'elle ne refroidisse, et par conséquent qu'elle ne devienne trop épaisse. Le fromage râpé sera parsemé sur le gratin avant de ranger le plat au four, ou, si vous le préférez, à la mi-cuisson. Les noisettes de beurre réparties sur la surface au dernier moment apportent la petite « touche » supplémentaire qui ajoute à la réussite d'un bon gratin.
Il est préférable de placer les gratins sur une grille à mi-hauteur du four, préalablement chauffé, afin que puisse se former une jolie croûte dorée sur le dessus.

Les soufflés

Les soufflés, quant à eux, ont la réputation d'être difficiles à préparer. Pourtant, si vous suivez scrupuleusement les indications de la recette, vous ne pouvez pas les manquer.
L'appareil à soufflé se compose, pour l'essentiel, d'une sauce Béchamel à laquelle seront mêlés différents ingrédients destinés à caractériser le goût du soufflé. Ajoutez alors les jaunes d'œufs à cette sauce, puis les blancs battus en neige ferme. Nous arrivons maintenant à l'étape décisive pour la réussite d'un soufflé : les blancs en neige doivent être incorporés à la préparation de base, de telle façon que le volume global soit le plus « aérien » possible. La meilleure manière de parvenir à ce résultat, c'est d'incorporer d'abord le quart ou le tiers des blancs en neige à la

Introduction et conseils pratiques

masse de base (celle-ci, devenue ainsi plus légère, se mélangera plus facilement avec les blancs restants), puis d'ajouter le reste des blancs battus en neige en soulevant délicatement l'appareil avec une cuillère en bois pour qu'il ne retombe pas.

Le moule à soufflé traditionnel est rond, en porcelaine ou en verre (il doit, en tout cas, être résistant à la chaleur). Les bords doivent être parfaitement verticaux, afin que le soufflé puisse monter régulièrement. Veillez cependant à ne remplir le moule à soufflé qu'aux deux tiers, de façon que la préparation, une fois gonflée, ne déborde pas. Lorsque les soufflés sont destinés à être servis en entrée, le mieux est d'utiliser des ramequins : n'ayant pas à être découpés en parts avec une cuillère, ils retombent ainsi moins facilement. La règle veut que l'on beurre les moules : cela permet aux soufflés de monter plus régulièrement.

Quant à la façon correcte de faire cuire un soufflé, les spécialistes eux-mêmes ne sont pas d'accord sur la question. Dans les recettes de ce livre, les soufflés sont cuits au four, sur la grille placée à la glissière inférieure. La porte du four ne doit pas être ouverte durant les trois premiers quarts du temps de cuisson, d'où la nécessité de posséder un four avec hublot. Les temps de cuisson indiqués concernent un four classique à chaleur rayonnante. Mais les températures peuvent évidemment varier selon le type d'appareil dont vous disposez. A vous de les adapter en fonction de l'expérience que vous avez de votre four. Si votre soufflé devait malgré tout retomber, ne perdez pas courage, car, de toute façon, il sera bon. Vous pouvez aussi faire cuire votre soufflé au bain-marie, cela lui réussira particulièrement bien, grâce à la vapeur qui se dégage. Si vous choisissez cette méthode de cuisson, remplissez alors un grand récipient d'eau chaude (il devra y avoir un espace d'au moins 1 cm entre le bord du moule à soufflé et le bord du récipient, de telle façon que le moule baigne dans 4 à 6 cm d'eau). Placez le tout au four préchauffé et faites cuire le soufflé selon les indications de la recette. Si, peu avant la fin du temps de cuisson, la surface n'est pas assez dorée, retirez le moule du bain-marie et achevez de cuire le soufflé à four sec, en 5 à 10 minutes.

Avec les gratins et les soufflés, qu'ils soient salés ou sucrés, voici, grâce à ce nouveau livre de recettes, une façon originale et inventive de préparer de nouveaux plats. Les enfants en raffolent, et ce ne sont pas les adultes qui les contrediront !

Alors, essayez…

Petits toasts au four ou au gril

Croque-monsieur

Rien de plus simple que de préparer un croque-monsieur traditionnel, de le rehausser d'un œuf cuit au plat et de le baptiser — on ne sait pourquoi ! — croque-madame ; déjà plus original et plus amusant, d'inventer de nouvelles garnitures, de préparer des « farces » à base de viande ou de poisson et d'organiser une soirée télévision ou un lunch où chacun fait cuire son croque dans un mini-four ou un gril placé sur une grande table garnie de différents toasts et d'une belle corbeille de fruits.

Voici donc quelques suggestions et idées de garnitures pour égayer et réussir vos repas « croque ».

Il faut, pour 4 personnes (2 croques par personne en plat principal) :
16 tranches de pain de mie carrées
50 g de beurre
2 belles tranches de jambon de Paris dégraissées
100 g de gruyère ou de fromage à raclette
Sel, poivre (facultatif)

Temps de préparation : 10 mn.
Temps de cuisson : 10 à 12 mn.

1. Coupez la croûte des tranches de pain de mie pour n'en garder que la mie en forme de carré ; beurrez-les légèrement sur chacune de leurs faces. Étalez-les sur une planche et, éventuellement, salez-les et poivrez-les.
2. Coupez les tranches de jambon en quatre carrés et le fromage en fines lamelles. Garnissez huit tranches de pain de mie d'un carré de jambon et de quelques lamelles de fromage, de façon que le jambon en soit recouvert, recouvrez des huit autres tranches de pain de mie et appuyez dessus pour que les éléments adhèrent bien les uns aux autres (si vous possédez un appareil à croque-monsieur, les bords des tranches se soudent automatiquement et le croque-monsieur dore à l'intérieur).
3. Rangez les tranches garnies dans un plat allant au four et faites-les dorer pendant 5 à 6 mn sur leurs deux faces, dans un four très chaud, position gril.
4. Lorsque les croque-monsieur sont prêts — dorés à l'extérieur, moelleux à l'intérieur — enveloppez-les ou recouvrez-les de papier absorbant pour qu'ils restent bien chauds. Chacun se servira au fur et à mesure, sans que l'on soit obligé de les préparer au cours du repas.

Croque-madame

Il faut, pour 4 personnes (en entrée) :
4 croque-monsieur déjà prêts
4 œufs
Sel, poivre

1. Cassez les œufs un à un dans un bol et faites-les cuire au plat dans une poêle antiadhésive. Salez, poivrez. Lorsque le blanc est pris et que le jaune est encore transparent, ils sont prêts.
2. Posez-les à cheval sur chaque croque-monsieur bien chaud, et servez les... croque-madame.

Croque-thon

Il faut, pour 4 personnes (en entrée) :
8 tranches de pain de mie carrées
25 g de beurre
1 petite boîte de miettes de thon
1 jaune d'œuf
1 cuillerée à soupe de moutarde
Sel, poivre

1. Coupez la croûte des tranches de pain de mie pour n'en garder que la mie, en forme de carré ; beurrez-les légèrement sur chacune de leurs faces et placez-les sur une planche.
2. Faites bien égoutter les miettes de thon dans une passoire pour qu'il ne reste que très peu d'huile. Dans un grand bol, mélangez à la fourchette le jaune d'œuf et la moutarde, salez, poivrez légèrement et écrasez les miettes de thon dans ce mélange. Posez un peu de cette préparation sur quatre tranches de pain de mie, étalez bien et recouvrez des quatre tranches restantes.
3. Appuyez légèrement et rangez les croque-thon dans un plat allant au four. Faites dorer pendant 5 à 6 mn sur chaque face dans un four bien chaud, position gril.

Croque-viande

Même préparation que la précédente, mais la garniture se compose de 125 g de bifteck haché cru revenu à la poêle ou de 125 g de bœuf cuit haché grossièrement, à la place des miettes de thon.
Mélangez la préparation à l'œuf cru et à la moutarde, comme il est indiqué dans la recette précédente.

Quiches et tourtes

Quiche au crabe

Photo ci-contre

Il faut, pour 4 personnes :

250 g de pâte brisée surgelée
et décongelée

20 g de beurre

1 cuillerée à soupe de farine

250 g de crème fraîche

2 jaunes d'œufs + 1 blanc en neige

1 pincée de curry

Sel, poivre fraîchement moulu

1 petite boîte de crabe en conserve
ou 4 pinces de crabes frais cuites

Temps de préparation : 20 mn.
Temps de cuisson : 30 à 35 mn.

1. Allumez le four thermostat 7.
A l'aide d'un rouleau à pâtisserie,
abaissez la pâte et formez un cercle
de 22 cm de diamètre. Beurrez un
moule à tarte, garnissez-le de la pâte
et, à l'aide d'un tamis, saupoudrez
de farine le dessus. Secouez pour
que la farine soit bien répartie.
2. Faites égoutter le crabe en boîte
ou décortiquez les pinces déjà
cuites. Émiettez le crabe dans un
bol ; ajoutez les jaunes d'œufs, la
crème fraîche, battez bien avec une
fourchette, puis montez le blanc en
neige et incorporez-le délicatement
à la préparation. Ajoutez le curry,
du sel et du poivre. Battez encore
à la fourchette pour que les ingrédients se mélangent bien.
3. Versez cette préparation dans le
moule, étalez-la bien régulièrement
et placez au four pour 30 à 35 mn.
Vérifiez, en cours de cuisson, que
le dessus de la garniture dore sans
brûler ; au besoin, recouvrez-le de
papier sulfurisé.

4. Lorsque la quiche est prête
— bien dorée et bien soufflée —,
sortez-la du four et servez-la aussitôt.

Tourte de veau au parmesan

Il faut, pour 4 personnes :

Pour la pâte :

250 g de farine - 1 œuf

125 g de beurre bien dur

Le zeste de 1/2 citron

Pour la garniture :

250 g de noix de veau

1 belle tranche de jambon fumé

1 verre de vin blanc sec

2 cuil. à soupe de cognac

1 branche de thym,

2 feuilles de laurier - Sel, poivre

2 œufs + 1 jaune

100 g de parmesan
fraîchement râpé

2 cuil. à soupe de crème fraîche
ou 2 dl de lait

1 noix de beurre

Temps de préparation : 20 mn (+ 1
à 2 h pour le repos de la pâte).
Temps de cuisson : 50 mn.

1. Préparez la pâte : disposez la
farine dans un grand saladier, formez une fontaine au centre, mettez
une pincée de sel, l'œuf entier, le
beurre coupé en très petits morceaux, le zeste de citron et 2 cuillerées à soupe d'eau. Mélangez bien
tous les ingrédients et incorporez la
farine en pétrissant la pâte pour
qu'elle devienne bien homogène et
se décolle de vos doigts. Formez
une boule, placez-la au frais et
laissez-la reposer de 1 à 2 h.

2. Pendant ce temps, préparez la
marinade : coupez le veau en très
petits morceaux. Dégraissez soigneusement la tranche de jambon
fumé et détaillez-la en lanières. Versez le vin blanc et le cognac dans un
récipient creux, émiettez le thym,
ajoutez les feuilles de laurier, du
sel et du poivre. Faites macérer les
morceaux de viandes (veau
+ jambon) dans ce liquide, le
temps que la pâte repose.
3. Lorsque ce temps est écoulé,
préparez la garniture : battez ensemble les œufs entiers, le parmesan et la crème fraîche ou le lait.
Faites bien égoutter les morceaux
de viandes et ajoutez-les dans la
préparation aux œufs.
4. Allumez le four thermostat 8.
Beurrez un moule à tourte et abaissez deux tiers de la pâte à l'aide d'un
rouleau à pâtisserie. Garnissez-en
la tourtière et coupez les bords qui
dépasseraient ; versez la préparation précédente. Abaissez le dernier
tiers de la pâte et recouvrez-en la
garniture en soudant les bords après
les avoir mouillés.
5. Placez le plat au four et laissez
cuire 40 mn. Au bout de ce temps,
sortez la tourtière du four, badigeonnez le dessus avec le jaune
d'œuf dilué dans un peu d'eau et
replacez au four pour 10 mn.

Variante : Tourte poitevine

A la place du veau et du jambon,
vous pouvez mettre du poulet, du
lapin et de la chair à saucisse en
quantités égales. A la place du parmesan, mettez du gouda ou du ro-
quefort, et la tourte est originaire
d'une autre région. Rouergue,
Berry ou Languedoc, chaque région a sa spécialité de tourte.

Gratins de pâtes

Carrés de pâte au jambon

Cette spécialité autrichienne peut servir de base à tous les gratins de pâtes. Si vous voulez réaliser la véritable recette, il vous faudra préparer vous-même la « pâte à pâtes ». Mais, si vous êtes pressé, vous pouvez, bien entendu, acheter des plaques de pâtes toutes prêtes pour lasagnes et les découper vous-même en petits carrés.

Il faut, pour 4 à 6 personnes :
Pour la pâte :
300 g de farine
3 œufs
1 cuil. à café de sel
2 à 3 cuil. à soupe d'huile végétale
Un peu de farine
pour abaisser la pâte
Pour le gratin :
50 g de jambon cru
200 g de jambon cuit
80 g d'oignons
30 g de beurre
Sel
Pour le plat :
Un peu de beurre
Pour la garniture :
3 œufs
12,5 cl de crème aigre (ou de crème fraîche additionnée de quelques gouttes de jus de citron)
12,5 cl de lait
1 cuil. à café de sel
Poivre fraîchement moulu
60 g de beurre

Temps de préparation : 1 h 30 (+ 2 h pour le repos de la pâte). Temps de cuisson : 30 mn.

1. Versez la farine en fontaine sur le plan de travail, creusez un puits au milieu. Cassez les œufs un à un et incorporez-les ; ajoutez le sel et l'huile. A l'aide d'une fourchette, mélangez les œufs avec le sel et l'huile en y joignant un peu de farine. Puis, avec les deux mains, ramenez la farine de l'extérieur vers l'intérieur pour la mélanger aux œufs. Si la pâte est trop ferme, ajoutez un peu d'eau. Pétrissez-la jusqu'à ce qu'elle soit brillante, lisse et élastique. Enveloppez-la dans une feuille d'aluminium et laissez-la reposer 2 h environ.

2. Partagez la « pâte à pâtes » en six morceaux et, avec un peu de farine, étalez chacun d'eux aussi finement que possible. Saupoudrez un grand torchon avec de la farine et faites-y sécher les galettes de pâte, jusqu'à ce qu'elles ne collent plus, mais soient encore assez molles pour être découpées.

Photo n° 1 : Posez les ronds de pâte les uns au-dessus des autres en mettant toujours un peu de farine entre deux ronds et coupez-les en bandes de 6 à 8 cm de large, que vous superposerez à leur tour.

Photo n° 2 : Coupez la pile de bandes de pâte en lanières d'environ 1 cm de large, puis coupez celles-ci en carrés. Farinez à nouveau le torchon et posez-y les carrés en les espaçant bien, afin qu'ils puissent sécher. Portez à ébullition 3 l d'eau additionnée de sel. Plongez les carrés de pâte dans l'eau bouillante et faites-les cuire 1 à 2 mn. Ils doivent être « al dente », c'est-à-dire fermes sous la dent. Faites-les égoutter rapidement, passez-les sous l'eau froide et laissez-les égoutter à nouveau dans une grande passoire.

Photo n° 3 : Versez les carrés de pâte dans un plat, en secouant pour bien les répartir. Coupez le jambon cru et le jambon cuit en petits dés et parsemez-les sur les pâtes. Pelez les oignons et coupez-les en dés. Faites fondre le beurre, mettez-y à revenir les dés d'oignons jusqu'à ce qu'ils deviennent translucides. Joignez alors au mélange jambon-pâtes et mêlez bien le tout.

Photo n° 4 : Beurrez un grand plat allant au four et garnissez-le du mélange aux pâtes. Pour la garniture, battez les œufs au fouet, puis ajoutez-y la crème aigre, le lait, le sel, le poivre et le beurre fondu. Battez encore pour bien émulsionner la sauce.

Photo n° 5 : Répartissez uniformément la sauce sur les carrés de pâte au jambon.

Photo n° 6 : Préchauffez le four à 200 °C. Posez le gratin sur la grille placée sur la glissière inférieure et faites-le cuire environ 30 mn. Si, au bout de 20 mn environ, la surface est déjà trop brune, recouvrez le gratin d'une feuille d'aluminium ou de papier sulfurisé.

Notre conseil : Ces carrés de pâte au jambon auront encore plus de goût si vous faites cuire un os de jambon dans l'eau qui servira à la cuisson des pâtes.

Gratins de pâtes

Gratin de coquillettes à la mode sarde

Photo ci-contre

Il faut, pour 4 à 6 personnes :
500 g de tomates
400 g d'aubergines
400 g de courgettes
100 g d'oignons - 2 gousses d'ail
12,5 cl d'huile d'olive extra-vierge
Sel
1/4 de cuil. à café de poivre fraîchement moulu
1/2 cuil. à café de thym haché
2 cuil. à café de basilic haché
1 cuil. à soupe de persil haché
200 g de jambon cuit
200 g de petits pois frais ou surgelés
300 g de coquillettes
1 œuf
4 cuil. à soupe de crème fraîche
80 g de pecorino râpé
Huile pour le plat

Temps de préparation : 1 h.
Temps de cuisson : 30 mn environ.

1. Ébouillantez rapidement les tomates, pelez-les et coupez-les en rondelles. Lavez soigneusement les aubergines et les courgettes, ôtez leur pédoncule et coupez-les en rondelles d'environ 1/2 cm d'épaisseur. Pelez les oignons et coupez-les en dés. Pelez les gousses d'ail et écrasez-les.
2. Faites chauffer l'huile d'olive dans une sauteuse et faites-y suer les dés d'oignons et l'ail écrasé.
3. Versez alors les tranches de légumes et saupoudrez de 1 cuillerée à café de sel, ajoutez le poivre et la moitié des fines herbes hachées. Détaillez le jambon en dés, joignez-les aux légumes ainsi que les petits pois. Laissez cuire à couvert pendant 1 h environ.
4. Faites bouillir les coquillettes dans de l'eau salée pendant 10 mn environ, puis égouttez-les ; ne les passez pas sous l'eau froide. Versez-les dans un grand saladier alors qu'elles sont encore chaudes.
5. Battez l'œuf avec un fouet, ajoutez la crème, le fromage et les herbes restantes, et incorporez le mélange aux coquillettes.
6. Huilez un grand plat allant au four. Versez-y un tiers des coquillettes déjà prêtes. Répartissez le mélange de légumes sur le dessus et recouvrez du reste de coquillettes. Laissez cuire au four, préalablement chauffé à 200 °C (grille à la glissière inférieure), pendant environ 30 mn.

Gratin de pâtes au jambon et aux légumes

Recette illustrée en pages 2-3

Il faut, pour 4 personnes :
250 g de rigatoni (céleris) ou de macaroni
Sel
400 g de tomates
60 g d'oignons - 1 gousse d'ail
150 g de courgettes
2 cuil. à soupe d'huile d'olive extra-vierge
1/2 cuil. à café d'origan haché
1/2 cuil. à café de basilic haché
Poivre fraîchement moulu
12,5 cl de vin rouge
2 cuil. à café de jus de citron
2 cuil. à soupe d'olives noires coupées en dés
250 g de jambon cuit
100 g de petits pois frais ou surgelés
Huile d'olive pour le plat
80 g de parmesan râpé

Temps de préparation : 45 mn.
Temps de cuisson : 20 à 25 mn.

1. Faites cuire les pâtes al dente pendant 12 à 15 mn, dans de l'eau bouillante salée. Égouttez-les. Si ce sont des macaroni, coupez-les en morceaux.
2. Ébouillantez rapidement les tomates, pelez-les, débarrassez-les de leur queue et de leurs pépins et coupez-les en morceaux. Pelez les oignons et coupez-les en dés. Pelez la gousse d'ail et écrasez-la. Lavez les courgettes, ôtez-en le pédoncule et coupez-les en petits dés.
3. Faites chauffer l'huile dans une poêle et mettez-y à revenir les dés d'oignons et l'ail jusqu'à ce qu'ils deviennent translucides. Ajoutez les dés de courgettes et la moitié des tomates, assaisonnez de 1/2 cuillerée à café de sel, de fines herbes et d'un peu de poivre, puis arrosez de vin rouge. Laissez cuire 5 à 6 mn à feu vif. Incorporez le jus de citron et les olives. Détaillez le jambon en dés.
4. Dans un plat huilé, disposez une couche de pâtes, recouvrez-la de la sauce aux légumes, du jambon, d'une autre couche de pâtes, des tomates restantes et des petits pois. Saupoudrez de fromage râpé et arrosez d'huile. Laissez cuire 20 à 25 mn au four préalablement chauffé à 220 °C (glissière inférieure).

Gratin de nouilles à la grecque

Pastitsio

Un simple gratin de nouilles peut acquérir une réputation mondiale. Proche en apparence des lasagnes italiennes, ce gratin peut être consommé en entrée (dans ce cas, de petites quantités suffisent), en plat principal ou bien encore froid, comme collation (même ainsi, il est tout à fait savoureux, car on n'utilise, pour sa préparation, que de l'huile d'olive extra-vierge).

Il faut, pour 4 personnes :
250 g de macaroni
Sel
Huile pour graisser le plat
Pour la farce :
100 g d'oignons
4 tomates (250 g environ)
1/2 tasse d'huile d'olive extra-vierge
500 g de bœuf haché
30 g de concentré de tomates
1 tasse de bouillon de viande
2 gousses d'ail
1/2 cuil. à café de sel
Poivre fraîchement moulu
1 cuil. à soupe de persil haché
2 cuil. à soupe de chapelure
80 g de feta
Pour la sauce :
20 g de beurre
20 g de farine
1/4 l de lait
2 jaunes d'œufs
Un peu de sel et de muscade râpée
30 g de parmesan
ou de pecorino râpé

Temps de préparation : 1 h environ.
Temps de cuisson : 30 à 35 mn.

1. Jetez les macaroni dans de l'eau salée en ébullition et laissez-les cuire 10 mn environ. Retirez-les du feu, mettez-les dans une passoire et rincez-les sous l'eau chaude.

2. Préparez la farce : pelez les oignons et coupez-les en petits dés. Ébouillantez rapidement les tomates, pelez-les et coupez-les en dés grossiers.

3. Faites chauffer l'huile d'olive dans une grande poêle et mettez-y à revenir les dés d'oignons. Ajoutez alors le bœuf haché et faites-le saisir en remuant sans arrêt. A ce moment, versez le concentré de tomates et les tomates coupées en morceaux, et mouillez avec le bouillon de viande.

4. Pelez les gousses d'ail. Assaisonnez la viande avec le sel, un peu de poivre, l'ail écrasé et le persil haché, et laissez cuire pendant 20 mn environ. Hors du feu, ajoutez la chapelure et la feta hachée ou écrasée à la fourchette.

5. Préparez la sauce : faites fondre le beurre dans une casserole, ajoutez la farine et faites-la blondir 2 mn environ en remuant constamment. Versez alors le lait, petit à petit. Fouettez vigoureusement et laissez cuire 5 mn environ. Retirez la sauce du feu, puis ajoutez-y les jaunes d'œufs. Salez et muscadez, mélangez avec le fromage râpé.

6. Huilez un grand plat allant au four. Mettez-y d'abord une couche de macaroni (ils devront être placés dans le sens de la longueur), puis une couche de farce à la viande et, à nouveau, une couche de macaroni, puis de la farce à la viande, et ainsi de suite jusqu'à ce que le plat soit rempli. Veillez à disposer les macaroni toujours dans le même sens : votre gratin, une fois découpé, aura ainsi belle apparence. Répartissez la sauce sur le dessus du plat.

7. Préchauffez votre four à 220 °C. Placez le gratin sur la grille placée à la glissière inférieure et laissez cuire 30 à 35 mn pour que se forme une croûte bien dorée. Sortez le plat du four et laissez refroidir un peu le « pastitsio » avant de le découper.

Gratins farcis à la viande

Gratin de pommes de terre

Photo ci-contre

Il faut, pour 4 personnes :
600 g de pommes de terre
1 gousse d'ail
4 cuil. à soupe d'huile de tournesol
Beurre pour le plat
Pour la farce :
1 oignon de 50 g
100 g de poireaux
250 g de tomates
2 cuil. à soupe d'huile végétale
250 g de porc haché
1 cuil. à café de sel
Poivre fraîchement moulu
1 cuil. à soupe de câpres hachées
2 cuil. à soupe de basilic haché
Pour la sauce :
20 g de beurre
20 g de farine
1/4 l de lait
Un peu de sel
Poivre et muscade râpée
80 g de parmesan râpé

Temps de préparation : 1 h.
Temps de cuisson : 30 à 35 mn.

1. Épluchez les pommes de terre et coupez-les en fines rondelles. Pelez la gousse d'ail et écrasez-la. Faites chauffer l'huile dans une grande poêle et faites-y revenir l'ail. Ajoutez les rondelles de pommes de terre et laissez-les dorer.
2. Pelez l'oignon et hachez-le finement. Lavez soigneusement les poireaux (seulement les blancs) et hachez-les également finement. Ébouillantez rapidement les tomates, pelez-les, enlevez-en la peau, la queue et les pépins et coupez-les en petits dés.
3. Dans une seconde poêle, faites chauffer l'huile, mettez-y la viande hachée et faites-la saisir 2 à 3 mn sur feu vif. Ajoutez le hachis d'oignon, de poireaux et les dés de tomates. Assaisonnez de sel, d'un peu de poivre, de câpres et de basilic, et laissez revenir encore 5 à 6 mn sur feu vif.
4. Beurrez un plat à gratin. Mettez-y une couche de pommes de terre, puis la préparation à la viande hachée (appuyez un peu) et, par-dessus, disposez les pommes de terre restantes en écailles (comme sur la photo).
5. Faites une sauce Béchamel avec le beurre, la farine et le lait, épicez-la et versez-la sur le gratin. Saupoudrez de fromage râpé et faites dorer au four préalablement chauffé à 210-220 °C (glissière intermédiaire) pendant 30 à 35 mn.

Gratin de bettes

Il faut, pour 4 personnes :
1 kg de bettes ou d'épinards d'hiver
Sel
Huile d'olive pour le plat
Pour la farce :
1 gros oignon - 2 gousses d'ail
2 cuil. à soupe d'huile extra-vierge
250 g de hachis d'agneau maigre
1/2 cuil. à café de sel
Poivre fraîchement moulu
Un peu de romarin haché
Basilic haché
3 à 4 cuil. à soupe de bouillon de viande bien relevé
50 g de pecorino ou de parmesan râpé
Pour la garniture :
Sel, poivre fraîchement moulu
100 g de bleu d'Auvergne
1 cuil. à soupe de persil haché
2 cuil. à soupe de chapelure
Huile d'olive

Temps de préparation : 50 mn.
Temps de cuisson : 20 à 30 mn.

1. Lavez les bettes ou les épinards, ôtez les côtes épaisses des tiges. Avec des ciseaux, coupez les feuilles en lanières grossières. Faites-les blanchir environ 2 mn dans de l'eau bouillante salée, retirez-les à l'aide d'une écumoire et passez-les immédiatement sous l'eau glacée.
2. Pelez l'oignon et coupez-le en petits dés. Pelez les gousses d'ail et écrasez-les.
3. Faites chauffer l'huile dans une poêle. Mettez-y à revenir les dés d'oignon et l'ail jusqu'à ce qu'ils deviennent translucides. Mettez le hachis d'agneau et faites saisir le tout. Ajoutez le sel, le poivre, les fines herbes et le bouillon. Laissez mijoter 2 à 3 mn. Retirez du feu, puis incorporez le fromage râpé.
4. Tapissez le fond d'un plat huilé d'une couche de bettes, salez et poivrez légèrement. Recouvrez d'une couche de farce à la viande, puis mettez de nouveau une couche de bettes, le reste de la viande, et terminez par une couche de bettes. Parsemez le fromage que vous aurez coupé en petits cubes. Mélangez le persil et la chapelure et saupoudrez ce mélange sur les ingrédients disposés dans le plat, puis arrosez d'un peu d'huile. Placez au four préalablement chauffé à 200 °C (glissière inférieure) pendant 20 à 30 mn.

Gratins farcis à la viande

Moussaka

Il faut, pour 4 personnes :
1 kg d'aubergines
800 g d'épaule de mouton
2 oignons
1 carotte
2 gousses d'ail
100 g de féta (fromage blanc grec)
300 g de tomates
3 oignons doux
2 œufs
Sel, poivre, thym, laurier, persil
3 cuil. à soupe d'huile d'olive
1 verre de bouillon
1 cuil. à café de paprika
2 cuil. à soupe d'herbes
(estragon, cerfeuil, coriandre)

Temps de préparation :
1 h 30 mn.
Temps de cuisson : 50 mn.

1. Allumez le four, thermostat 8. Lavez les aubergines, séchez-les avec du papier absorbant, glissez-les au four et laissez-les ramollir pendant 15 à 20 mn.
2. Pendant ce temps, pelez et hachez les oignons, la carotte et les gousses d'ail ; coupez le mouton en gros cubes.
3. Faites chauffer l'huile d'olive dans une casserole à bords hauts et faites-y revenir le hachis de carotte, d'oignons et d'ail. Ajoutez les cubes de viande, faites-les dorer légèrement, salez, poivrez et assaisonnez avec le thym, le laurier et le persil. Versez le bouillon à hauteur de la viande, couvrez et laissez mijoter pendant 40 à 45 mn.
4. Lorsque les aubergines sont cuites, laissez-les tiédir ou, mieux, refroidir le temps de préparer le

coulis de tomates : plongez les tomates 1 mn dans de l'eau en ébullition, pelez-les, épépinez-les et concassez-les. Pelez et hachez finement les oignons doux et laissez réduire la purée de tomates sur feu doux, à couvert. Salez, poivrez légèrement, ajoutez les oignons hachés, éventuellement un peu d'huile d'olive. Lorsque le coulis a la consistance désirée, passez-le rapidement au mixer et laissez-le refroidir. Au besoin, remettez-le sur le feu s'il est trop liquide.
5. Reprenez les aubergines et coupez-les en deux dans le sens de la longueur ; gardez les peaux pour en tapisser le moule à charlotte bien graissé sur les bords et sur le fond, côté noir contre le moule. A l'aide d'une petite cuillère, prélevez toute la chair des aubergines et mélangez-la dans un saladier avec les œufs, la féta émiettée ou écrasée à la fourchette, le paprika et les fines herbes hachées.
6. Lorsque la viande a cuit le temps indiqué, écrasez-la ou mixez-la grossièrement et ajoutez-la au contenu du saladier. Malaxez bien toute la préparation et vérifiez l'assaisonnement.
7. Allumez le four thermostat 6. Garnissez le moule du mélange viande-aubergines et glissez-le dans le four, au bain-marie, pendant 45 mn.
8. Au moment de servir, sortez la moussaka du four, démoulez-la sur un plat rond, placez-la sous le gril pendant 5 mn pour qu'elle sèche un peu et entourez-la du coulis de tomates fraîches au moment de servir.

Poivrons et concombres farcis

Photo ci-contre
Il faut, pour 4 personnes :
2 poivrons - 1 concombre
400 g de bifteck haché
100 g de chair à saucisse
1 œuf - Sel, poivre
1 cuil. à soupe d'huile de tournesol
1 cuil. à soupe
d'échalotes et d'ail hachés
1 cuil. à soupe
d'herbes aromatiques
(persil, ciboulette, basilic)
30 g de beurre
+ 1 cuil. à soupe d'huile
30 g de chapelure
50 g de parmesan

Temps de préparation : 50 mn.
Temps de cuisson : 40 mn.

1. Lavez les poivrons et les concombres, séchez-les avec du papier absorbant. Ouvrez les poivrons en deux et ôtez les graines et la partie blanche qui se trouvent à l'intérieur, ouvrez le concombre en deux dans le sens de la longueur et, avec une petite cuillère, ôtez la partie molle contenant les graines, jetez-la ; prélevez maintenant un peu de chair du concombre, mais en prenant soin de ne pas abîmer la peau. Coupez cette chair en petits cubes.
2. Dans un saladier, mélangez le bifteck haché, la chair à saucisse, l'œuf entier, le sel, le poivre et les cubes de concombre. Faites chauffer l'huile dans une poêle et faites-y revenir le hachis d'ail et d'échalotes. Lorsqu'il est devenu translucide,

Gratins farcis à la viande

ajoutez le mélange de viandes hachées en l'écrasant dans la poêle avec une fourchette, parsemez les herbes aromatiques et laissez mijoter pendant 10 mn.

3. Allumez le four thermostat 7. Avec une noix de beurre, graissez un plat à gratin, versez l'huile et secouez le plat dans tous les sens ; lorsque la viande a cuit pendant 10 mn, garnissez-en les demi-poivrons et les demi-concombres, en tassant bien la viande. Placez-les dans le plat à four et versez 2 verres d'eau.

4. Parsemez la chapelure, le parmesan et le beurre restant coupé en petites noisettes sur les légumes. Glissez le plat au four et laissez gratiner pendant 40 mn. Au moment de servir, coupez les demi-concombres en deux et servez, sur chaque assiette préchauffée, un demi-poivron et un quart de concombre farcis.

Gratin de macaroni

Il faut, pour 4 à 6 personnes :
250 g de macaroni
Sel
Un peu d'huile
Beurre pour le plat
Pour la farce et la sauce :
400 g de tomates
3 beaux oignons
2 gousses d'ail
1 belle tranche
de lard fumé maigre (80 g)
150 g de champignons frais
2 cuil. à soupe d'huile
250 g de viandes hachées
mélangées
1 cuil. à café de sel
Poivre fraîchement moulu
1 cuil. à soupe de paprika doux
1/2 cuil. à soupe
de marjolaine hachée
2 cuil. à soupe de concentré
de tomates
12,5 cl de vin rouge corsé
12,5 cl de bouillon de viande
1/2 cuil. à café de sucre
100 g d'emmenthal râpé

Temps de préparation : 1 h.
Temps de cuisson : 15 à 20 mn.

1. Jetez les macaroni dans de l'eau salée bouillante mélangée à un peu d'huile, et faites-les cuire al dente, c'est-à-dire qu'ils doivent rester un peu fermes sous la dent. Passez-les sous l'eau froide et égouttez-les soigneusement.

2. Ébouillantez rapidement les tomates, pelez-les, ôtez-en le pédoncule et les pépins, coupez la chair en petits dés ou bien hachez-la grossièrement. Pelez les oignons et hachez-les. Pelez également les gousses d'ail et écrasez-les. Détaillez le lard en petits dés. Lavez bien les champignons, laissez-les égoutter (si cela est nécessaire, épluchez-les), et coupez-les en lamelles.

3. Faites chauffer l'huile dans une grande poêle. Faites-y sauter rapidement les champignons et retirez-les avec une écumoire.

4. Faites chauffer l'huile à nouveau et mettez-y à dorer les dés de lard. Dégraissez un peu, puis faites revenir les oignons et l'ail écrasé dans la poêle. Ajoutez les viandes hachées et faites saisir 2 à 3 mn sur feu vif, sans cesser de tourner. Assaisonnez de sel, d'un peu de poivre, de paprika et de marjolaine. Ajoutez le concentré de tomates, puis les tomates fraîches coupées en dés. Laissez étuver sur feu vif pendant 5 mn environ, puis arrosez de vin rouge et de bouillon de viande et laissez cuire sur feu moyen pendant 15 mn environ.

5. Mettez le mélange viande-tomates dans une passoire, puis versez le jus qui s'est écoulé dans une grande casserole. Sucrez et, sur feu moyen, faire réduire de moitié environ.

6. Beurrez un plat à gratin et disposez-y une couche de macaroni, mettez le mélange de viande hachée par-dessus et recouvrez avec le reste des macaroni. Répartissez la sauce tomate épaissie sur la surface et parsemez le fromage râpé. Faites gratiner au four préalablement chauffé à 220 ºC (grille à la glissière intermédiaire) pendant 15 à 20 mn.

Variante : Cannelloni farcis

En suivant la recette précédente, vous n'aurez aucun mal à réaliser un savoureux plat de cannelloni.

1. Préparez une « pâte à pâtes » (voir recette page 13) avec 300 g de farine, 3 œufs, 1 cuillerée à café de sel et 3 cuillerées à soupe d'huile. Enveloppez-la d'un linge, mettez-la au frais et laissez-la reposer pendant au moins 1 heure.

2. Ensuite, étalez finement la pâte et coupez-la en carrés d'environ 10 × 10 cm, et laissez-les sécher pendant 10 à 15 mn.

Gratins farcis à la viande

3. Faites cuire les morceaux de pâte environ 5 mn dans de l'eau bouillante salée et laissez-les égoutter.

4. Préparer la farce à la viande comme dans la recette précédente, garnissez-en les carrés de pâte que vous enroulerez ensuite sur eux-mêmes et rangerez dans le plat à gratin beurré. Versez la sauce tomate réduite par-dessus, saupoudrez de fromage râpé et faites gratiner les cannelloni au four préalablement chauffé, exactement comme les macaroni en gratin de la recette précédente.

Lasagne farcies

Lasagne al forno

La sauce de cette spécialité italienne est partout différente selon les régions d'où elle est originaire. La seule chose que les diverses variantes aient en commun, c'est leur forme, à savoir de larges feuilles de pâte, farcies avec différents ingrédients selon la recette, puis gratinées au four. Entre autres, une « version » s'est imposée, celle des pâtes vertes sauce bolognaise, et la recette qui suit vient du sud de l'Italie et compte sans doute parmi les plus raffinées.

Il faut, pour 4 à 6 personnes :
200 g de feuilles de lasagne
Sel
Beurre pour graisser le plat
Pour la farce :
1 oignon de 50 g
1 gousse d'ail
150 g de champignons frais
50 g de beurre

250 g de chair à saucisse ou,
mieux, de porc haché
1/2 cuil. à café de sel
Poivre fraîchement moulu
250 g de tomates
12,5 cl de vin rouge
2 cuil. à café de basilic haché
4 filets d'anchois
4 œufs durs
200 g de mozzarella
60 g de parmesan râpé
12,5 cl de crème fraîche liquide

Temps de préparation : 1 h.
Temps de cuisson : 20 à 30 mn.

Faites cuire les feuilles de lasagne, dans une bonne quantité d'eau salée, pendant 10 à 12 mn ; elles ne doivent pas devenir trop molles. Versez-les ensuite dans un récipient contenant de l'eau froide, afin qu'elles restent souples.

Pour la farce, pelez l'oignon et hachez-le grossièrement. Pelez également l'ail. Nettoyez les champignons et émincez-les.

Photo n° 1 : Faites fondre le beurre dans une grande poêle et faites-y revenir l'oignon ainsi que l'ail finement écrasé, jusqu'à ce qu'ils deviennent translucides. Ajoutez la viande hachée et faites-la saisir. Salez, poivrez. Plongez rapidement les tomates dans de l'eau bouillante. Pelez-les, partagez-les en deux et enlevez les pépins. Coupez la chair en dés et mélangez-les avec la viande hachée. Ajoutez les champignons émincés, arrosez de vin rouge et laissez mijoter le tout pendant 10 mn environ. Ajoutez le basilic et les filets d'anchois finement hachés.

Photo n° 2 : Beurrez un plat. Posez les feuilles de lasagne sur un torchon pour les faire égoutter, puis disposez-les dans le plat de façon qu'elles débordent largement.

Photo n° 3 : Étendez environ le tiers de la farce sur les feuilles de lasagne. Coupez les œufs en rondelles et répartissez-les sur la farce.

Photo n° 4 : Coupez la mozzarella en fines tranches ; mettez-en quelques-unes sur les rondelles d'œufs. Saupoudrez d'un peu de parmesan râpé. Recouvrez à nouveau d'une couche de feuilles de lasagne, d'une couche de farce à la viande, et continuez de la sorte jusqu'à épuisement des ingrédients.

Photo n° 5 : Rabattez les feuilles de pâte vers le milieu, par-dessus la farce, et couvrez les lasagne d'une dernière feuille de pâte. Mélangez le parmesan restant (la moitié environ, c'est-à-dire 30 g) avec la crème fraîche et versez ce mélange sur les lasagne.

Photo n° 6 : Placez les lasagne au four préalablement chauffé à 220 °C, sur la grille placée à la glissière inférieure, et laissez gratiner de 20 à 30 mn pour que la surface soit bien dorée. Servez chaud, accompagné d'une salade froide.

Gratins farcis à la viande

Gratin d'oignons

Photo ci-contre, au premier plan

Il faut, pour 4 personnes :
600 g d'oignons
4 cuil. à soupe d'huile végétale
de qualité supérieure
200 g de tomates
500 g de viandes hachées
mélangées
2 cuil. à soupe de concentré
de tomates
2 cuil. à café de paprika doux
1 cuil. à café de sel
Un peu de poivre fraîchement moulu
1 cuil. à soupe de persil haché
Ciboulette finement ciselée
(1 cuil. à soupe + 2 cuil. à café)
4 cuil. à soupe de vin rouge corsé
2 cuil. à soupe de farine
Pour la sauce :
30 g de beurre
30 g de farine
1/4 l de lait
1/4 cuil. à café de sel
Un peu de poivre fraîchement moulu
60 g d'emmenthal râpé

Temps de préparation : 50 mn.
Temps de cuisson : 25 à 30 mn.

1. Pelez les oignons et coupez-les en rondelles de 2 à 3 mm d'épaisseur.
Faites chauffer l'huile dans une grande poêle et faites-y étuver les rondelles d'oignons pendant 3 à 4 mn, en secouant la poêle de temps à autre. Retirez les anneaux d'oignons avec une écumoire et laissez-les égoutter. Ébouillantez rapidement les tomates, pelez-les et hachez-les.

2. Faites chauffer à nouveau l'huile restant dans la poêle. Ajoutez la viande hachée, émiettez-la en remuant constamment avec une cuillère en bois et faites-la saisir rapidement sur feu vif.
Ajoutez les tomates hachées ainsi que le concentré de tomates. Assaisonnez de paprika, de sel et d'un peu de poivre, parsemez le persil et la ciboulette (1 cuillerée à soupe). Arrosez de vin rouge et laissez étuver le tout pendant 5 à 6 mn. Saupoudrez de farine et laissez mijoter encore 1 mn, sans cesser de remuer. Mélangez le contenu de la poêle aux anneaux d'oignons et remplissez un plat non graissé de ce mélange.

3. Préparez la sauce : faites fondre le beurre dans une casserole et faites-y blondir la farine. Versez le lait, salez, poivrez et remuez vigoureusement. Laissez cuire à petits bouillons pendant 10 mn environ. Ajoutez le fromage et mélangez soigneusement. Versez la sauce sur le gratin. Faites cuire au four préalablement chauffé à 200 °C (glissière inférieure) pendant 25 à 30 mn. Avant de servir, parsemez de ciboulette (2 cuillerées à café).

Gratin de poireaux

Photo ci-contre, à l'arrière-plan

Il faut, pour 4 personnes :
1 kg de poireaux épluchés
Sel
200 g de jambon cuit
100 g de gouda mi-vieux
Beurre pour graisser le plat
Pour la sauce :
30 g de beurre
20 g de farine
12,5 cl de crème fraîche
12,5 cl de lait
1/2 cuil. à café de sel
Un peu de poivre fraîchement moulu
et de noix muscade
fraîchement râpée
100 g de gouda mi-vieux râpé

Temps de préparation : 40 mn.
Temps de cuisson : 30 mn.

1. Épluchez et lavez soigneusement les poireaux, enlevez les racines et les feuilles dures ; il doit vous rester 1 kg de poireaux prêts à être cuisinés. Coupez les fûts en morceaux de 5 cm de long environ et faites-les cuire dans de l'eau salée pendant une dizaine de minutes. Égouttez-les bien. Détaillez le fromage et le jambon en dés.

2. Disposez la moitié des poireaux dans un plat beurré. Mettez les dés de jambon et de fromage par-dessus et recouvrez avec le reste des poireaux.

3. Préparez la sauce : faites fondre le beurre dans une casserole. Faites-y revenir la farine. Versez la crème et le lait et remuez vigoureusement. Salez, poivrez légèrement, et faites cuire sur feu très doux pendant 8 à 10 mn. Ajoutez alors le fromage râpé et mélangez bien jusqu'à ce qu'il fonde.

4. Versez la sauce au fromage sur le gratin de poireaux et placez le plat à mi-hauteur du four, préchauffé à 200 °C. Faites gratiner pendant environ 30 mn.

Gratin provençal au riz

Il faut, pour 8 personnes :
250 g d'oignons
2 gousses d'ail
100 g de carottes
6 cuil. à soupe d'huile de tournesol
600 g de viandes hachées mélangées
1/2 cuil. à café de sel
1 cuil. à soupe de paprika doux
50 g de concentré de tomates
1/2 cuil. à café de thym émietté
1 cuil. à soupe de persil haché
1 cuil. à café de câpres hachées
12,5 cl de bouillon de viande
12,5 cl de vin rouge corsé
30 g de beurre mou
pour graisser le plat
Pour le riz :
250 g de riz long grain
Sel
2 poivrons (1 rouge + 1 vert)
100 g de céleri-branche
Pour la garniture :
1 aubergine (250 g environ)
2 courgettes (300 g environ)
1 concombre (300 g environ)
2 à 4 tomates (400 g environ)
Pour la sauce :
4 œufs
1/4 l de crème fraîche
150 g de gouda mi-vieux râpé

Temps de préparation : 1 h.
Temps de cuisson : 40 à 50 mn.

1. Pelez les oignons et hachez-les finement. Pelez les gousses d'ail et écrasez-les ou hachez-les très finement. Épluchez les carottes et coupez-les en tout petits dés.

2. Faites chauffer l'huile dans une grande poêle. Faites-y d'abord revenir les oignons jusqu'à ce qu'ils deviennent translucides, puis ajoutez l'ail et les carottes coupées en dés, et laissez mijoter le tout 2 à 3 mn. Ajoutez alors la viande hachée, faites-la saisir 2 à 3 mn sur feu vif, en remuant constamment et en l'émiettant. Assaisonnez de sel, de paprika, de concentré de tomates, de thym, de persil et de câpres. Poursuivez la cuisson 2 à 3 mn, puis arrosez de bouillon de viande et de vin. Laissez étuver encore quelques minutes, jusqu'à ce que le liquide se soit un peu évaporé.

3. Faites cuire le riz dans de l'eau salée en ébullition pendant 8 mn environ, passez-le rapidement sous l'eau froide et égouttez-le. Fendez les poivrons en deux, ôtez-en le pédoncule, les pépins et les peaux blanches, et coupez-les en dés. Nettoyez et pelez les branches de céleri, coupez-les en petits tronçons et mélangez-les, ainsi que les dés de poivrons, au riz précuit.

4. Lavez l'aubergine et les courgettes, enlevez-en les pédoncules et coupez-les en rondelles régulières. Épluchez le concombre et détaillez-le également en rondelles. Ébouillantez rapidement les tomates, pelez-les et coupez-les, elles aussi, en rondelles.

5. Avec le beurre ramolli, graissez un plat à gratin d'une contenance de 3 l environ. Mettez une couche du mélange au riz, répartissez toute la viande hachée par-dessus et recouvrez du reste du riz. Disposez en alternant les rondelles d'aubergine, de courgettes, de concombre et de tomates sur le dessus du gratin.

6. Préparez la sauce : battez énergiquement les œufs avec la crème fraîche, puis ajoutez le fromage et mélangez bien le tout. Versez la moitié de la sauce sur le gratin, de façon à obtenir une couche uniforme. Mettez le plat sur la grille placée à la glissière inférieure (vous aurez, au préalable, chauffé votre four à 200 ºC) et laissez cuire 20 mn. Puis versez le reste de la sauce et remettez au four pendant 20 à 30 mn. Si la surface brunit trop, recouvrez de papier d'aluminium ou de papier sulfurisé.

Accompagnez ce plat d'une salade verte bien relevée et d'un vin rouge corsé (le même, si possible, que celui que vous aurez utilisé pour le gratin).

Variante : Gratin provençal aux pâtes

On peut réaliser la recette précédente en remplaçant le riz par des pâtes. Les coquillettes se prêtent particulièrement bien à cette préparation. Faites cuire al dente 250 g de pâtes dans de l'eau salée, rafraîchissez-les et égouttez-les. Mélangez-les aux dés de poivrons et aux tronçons de céleri, et poursuivez la préparation comme il est indiqué dans la recette précédente.

Gratin de chou au haddock et à la crème d'estragon

Photo ci-contre

Il faut, pour 4 personnes :
1 chou de Milan
3 cuil. à soupe d'huile
3 oignons
3 tranches de lard fumé
1/2 l de lait
3 tranches de haddock
1 petit pot de crème fraîche
2 cuil. à soupe de vin blanc sec
1 bouquet d'estragon
Sel, poivre fraîchement moulu

Temps de préparation : 1 h.
Temps de cuisson : 20 mn.

1. Lavez le chou à grande eau. Portez de l'eau à ébullition et plongez-y le chou. Lorsque les feuilles extérieures deviennent tendres, au bout de 10 à 15 mn, égouttez-le et laissez-le tiédir.

2. Pendant ce temps, pelez et hachez les oignons et coupez le lard en petits dés. Portez de l'eau à ébullition, plongez-y les dés de lard et faites-les blanchir pendant quelques minutes. Égouttez-les dans une passoire. Faites chauffer l'huile dans une grande poêle, mettez-y à revenir les oignons ; lorsqu'ils deviennent translucides, ajoutez-y les dés de lard.

3. Coupez le chou en fines lanières (si possible à l'aide d'un couteau électrique, cela est plus rapide), et jetez ces lanières dans la poêle où reviennent les oignons et le lard. Secouez bien pour que les lanières

de chou s'imprègnent du goût du lard.

4. Allumez le four thermostat 6. Portez le lait à ébullition et faites-y frémir les tranches de haddock pendant 4 à 5 mn. Lorsqu'elles sont à peine cuites, faites-les égoutter et émiettez-les grossièrement dans un bol. Beurrez un moule à manqué et jetez-y les lanières de chou, parsemez le haddock et enfournez à four chaud ; laissez cuire 20 mn environ.

5. Pendant ce temps, préparez la sauce à l'estragon : faites bouillir le vin blanc dans une petite casserole, ajoutez la crème fraîche, elle va « fondre », et faites réduire le tout pendant 2 à 3 mn. Retirez du feu, lavez les branches d'estragon à grande eau, jetez-les entières dans le mélange crème fraîche-vin blanc et faites infuser 10 mn environ. Au bout de ce temps, replacez la casserole pendant quelques minutes sur le feu, pour faire réduire encore un peu.

6. Au moment de servir, retirez toutes les branches d'estragon, salez, poivrez et servez avec le gratin de chou au haddock.

Brochettes de poisson au riz safrané

Il faut, pour 4 personnes :
Pour les brochettes :
400 g de lotte
(ou de poisson à chair ferme)
4 noix de coquilles Saint-Jacques
1 petit poivron vert
3 tomates
Pour la marinade :
1 dl d'huile d'olive
2 citrons verts
1 gousse d'ail
Pour la garniture :
400 g de riz
50 g de beurre
1 poivron rouge
1 tomate
3 beaux champignons de Paris
1 petit oignon finement haché
1 dose de safran
(ou quelques filaments)
Sel, thym, laurier

Temps de préparation : 30 mn (+ 1 h pour la marinade).
Temps de cuisson : 45 mn (en tout).

1. Préparez la marinade : versez dans un récipient creux l'huile d'olive et le jus des citrons verts ; pressez la gousse d'ail et exprimez son jus, à l'aide de l'appareil spécial, au-dessus du récipient.

2. Lavez la lotte et les noix de coquilles Saint-Jacques, coupez-les en gros cubes. Mettez tous les cubes de poissons dans la marinade et placez celle-ci au frais pendant 1 h au minimum. Retournez les morceaux de poissons aussi souvent que possible.

3. Lorsque ceux-ci sont bien imprégnés de la marinade, lavez le poivron et les tomates, coupez le tout en morceaux et enfilez, dans l'ordre, un morceau ou un cube de tomate, de poisson, de poivron, de poisson, de tomate, sur des brochettes en bois. Replacez les brochettes dans la marinade, le temps de préparer le riz, en les retournant de temps à autre.

Gratins au poisson

4. Lavez soigneusement le riz ; lorsque l'eau est limpide, égouttez-le et plongez-le dans de l'eau bouillante salée et safranée, ajoutez le thym et le laurier. Laissez-le cuire à petits bouillons, non couvert. Selon la qualité de riz, cela demande de 8 à 15 mn. Lorsque le riz est cuit, faites-le égoutter dans une passoire. Otez la branche de thym et la feuille de laurier.

5. Lavez et pelez le poivron rouge, la tomate et les champignons de Paris, dont vous aurez coupé le pied terreux. Ouvrez le poivron en deux et ôtez les pépins et les parties blanches qui se trouvent à l'intérieur. Ouvrez la tomate en deux et ôtez les pépins également. Coupez le poivron en lanières, la tomate en petits dés (gardez le jus) et les champignons en lamelles.

6. Dans une petite poêle, faites fondre 20 g de beurre et faites-y revenir l'oignon haché ; lorsqu'il devient translucide, ajoutez les lanières de poivron et faites-les suer sur feu doux pendant 2 à 3 mn ; versez alors les lamelles de champignons, montez légèrement le feu et faites revenir le tout en remuant sans cesse. Il faut que tous les légumes soient bien moelleux et bien tendres. Ajoutez alors les dés de tomate, le jus, couvrez et laissez mijoter pendant 5 mn.

7. Graissez un moule à gratin avec le reste du beurre, étalez le riz puis les légumes que vous venez de préparer.

8. Allumez le gril du four thermostat 8 ; faites égoutter légèrement les brochettes et rangez-les sur le lit de riz safrané. Glissez-les dans le four et faites-les griller en les retournant deux ou trois fois. Si les brochettes

se dessèchent trop, versez un peu de marinade dessus chaque fois que vous les retournerez.

La cuisson totale des brochettes ne demande pas plus de 15 mn, car le poisson a déjà cuit dans le jus de citron.

Gratin de riz aux bouquets roses

Il faut, pour 4 à 6 personnes :
300 g de filets de soles surgelés
150 g de céleri-branche
250 g de poireaux
500 g de fenouils
250 g de poivrons verts
50 g de beurre
1/2 cuil. à café de sel
Un peu de poivre fraîchement moulu
1/2 cuil. à café de gingembre moulu
200 g de blancs de poulet
250 g de riz long
Sel
1/2 cuil. à café de curcuma
1 pointe de cannelle en poudre
2 clous de girofle
1 pointe de poivre de Cayenne
Huile (pour graisser le plat)
1/4 cuil. à café de sel
Un peu de poivre fraîchement moulu
6 cuil. à soupe de ketchup
1/2 cuil. à café de tabasco
12 crevettes bouquets
ou 12 gambas
Pour la sauce :
30 g de beurre - 20 g de farine
1/4 l de lait
12,5 cl de crème fraîche
2 œufs
1/2 cuil. à café de sel
Quelques gouttes de tabasco

Temps de préparation : 1 h.
Temps de cuisson : 20 à 30 mn.

1. Faites dégeler les filets de soles. Nettoyez le céleri et coupez-le en petits morceaux. Épluchez soigneusement les poireaux, lavez-les et coupez-les en fines rondelles. Lavez bien les fenouils, ôtez-en l'extrémité ligneuse et coupez les bulbes en tranches. Fendez les poivrons en deux, enlevez-en les pépins, le pédoncule ainsi que les peaux blanches qui se trouvent à l'intérieur et coupez-les en dés ou en lanières.

2. Faites fondre le beurre dans une grande poêle. Ajoutez, une à une, les diverses variétés de légumes et faites étuver sur feu vif pendant quelques minutes. Assaisonnez de sel, d'un peu de poivre et de poudre de gingembre, puis retirez les légumes avec une écumoire et réservez-les. Détaillez les blancs de poulet en petits cubes, mettez-les dans la poêle et faites-les sauter rapidement sur feu vif. Sortez-les immédiatement et mélangez-les aux légumes.

3. Préparez le riz : portez de l'eau salée à ébullition, épicez-la avec le curcuma, la cannelle, les clous de girofle et le poivre de Cayenne, et faites-y cuire le riz pendant 7 à 8 mn. Retirez du feu, versez dans une passoire et laissez égoutter. Mélangez le riz avec les légumes.

4. Huilez un grand plat à gratin. Disposez dans le fond une couche du mélange riz-légumes, répartissez les filets de soles au-dessus. Mélangez le sel, le poivre, le ketchup et le tabasco, et étalez ce mélange sur les filets de soles. Recouvrez le tout avec le reste du mélange riz-légumes.

Gratins au poisson

5. Décortiquez les crevettes : tordez la queue, enlevez la carapace et les pattes. Otez les fils noirs visibles sur la partie coupée et répartissez les crevettes sur le gratin.

6. Préparez la sauce : faites fondre le beurre dans une casserole, versez-y la farine en pluie et faites-la blondir. Ajoutez le lait et battez énergiquement à l'aide d'un fouet. Laissez la sauce bouillir jusqu'à ce qu'elle soit liée et veloutée. Retirez-la alors du feu. Ajoutez la crème ainsi que les œufs (l'un après l'autre), relevez bien avec le sel et le tabasco. Versez la sauce obtenue sur le gratin.

7. Préchauffez le four à 220 ºC. Mettez le plat sur la grille placée à la glissière inférieure et laissez cuire environ 10 mn. Réduisez la température de votre four et poursuivez la cuisson 10 à 20 mn, jusqu'à ce que la surface soit bien dorée.

Servez ce délicat gratin avec une salade verte à l'échalote bien relevée ou bien encore, plus original, avec une salade de chou chinois à l'huile de sésame.

Gratin d'aubergines au thon frais

Il faut, pour 4 personnes :
4 aubergines
1 dl d'huile d'olive
1 citron vert
2 cuil. à soupe de noix de coco râpée
2 gousses d'ail
1 belle tranche de thon
(600 g environ)
300 g de tomates
100 g de champignons de Paris
1 échalote
Sel, poivre
30 g de beurre pour le plat

Temps de préparation : 1 h (+ 1 h pour la marinade).
Temps de cuisson : 30 à 35 mn.

1. Allumez le four, thermostat 6. Lavez les aubergines mais ne les pelez pas. Ouvrez-les en deux et badigeonnez la pulpe avec de l'huile d'olive. Rangez-les dans un plat à four et faites-les cuire pendant 15 à 20 mn. Puis sortez les aubergines du four et laissez-les tiédir.

2. Préparez la marinade : dans un plat creux, mélangez le reste d'huile d'olive, le jus du citron vert (ou de 2 citrons jaunes), la noix de coco râpée et le jus des deux gousses d'ail exprimé à l'aide de l'appareil spécial. Posez la tranche de thon dans cette marinade et arrosez-la du jus de la marinade ou retournez-la souvent. Laissez reposer dans un endroit frais pendant 1 h environ.

3. Lavez les tomates et les champignons de Paris, pelez-les, ainsi que l'échalote, et coupez les tomates en petits dés et les champignons en fines lamelles. Hachez l'échalote.

4. Dans une petite poêle, versez un peu de marinade, faites-la réduire sur feu vif et ajoutez l'échalote hachée, les dés de tomates et les lamelles de champignons. Baissez le feu et laissez fondre pendant une dizaine de minutes. Au besoin, ajoutez encore un peu de marinade.

5. Retirez la tranche de thon de la marinade et faites-la griller sur une plaque de fonte pendant 10 mn sur chaque face.

6. Pendant ce temps, à l'aide d'une petite cuillère, ôtez la pulpe des aubergines, mélangez-la au contenu de la poêle, remuez bien pour que les tomates, les champignons et la pulpe d'aubergines soient bien mélangés, ajoutez un peu de sel et de poivre. Replacez cette préparation dans les peaux d'aubergines et beurrez ou faites couler un filet d'huile d'olive dans le plat où ont cuit les aubergines. Rangez-les dans le plat.

7. Allumez le four thermostat 7. Lorsque le thon a cuit sur ses deux faces, coupez-le en quatre morceaux égaux (il suffit de suivre l'arête centrale), rangez-les en les faisant se chevaucher dans le plat où se trouvent les aubergines. Glissez le plat au four et faites gratiner pendant 10 à 15 mn. De temps en temps, versez un peu du jus de la marinade.

Légumes au four

Gratin de légumes à l'italienne

Photo ci-contre

Il faut, pour 4 personnes :
2 aubergines (400 g environ)
3 à 4 courgettes (400 g environ)
3 poivrons
(1 rouge + 1 vert + 1 jaune)
600 g de tomates
150 g d'oignons
2 gousses d'ail
4 cuil. à soupe d'huile d'olive
1 cuil. à café de sel
Un peu de poivre fraîchement moulu
1 cuil. à café de basilic haché
1/2 cuil. à café
de menthe poivrée hachée
1/2 cuil. à café d'origan haché
6 filets d'anchois
Beurre pour graisser le plat
Pour la sauce :
20 g de beurre
20 g de farine
12,5 cl de vin blanc sec
12,5 cl de crème fraîche
1/2 cuil. à café de sel
Un peu de poivre fraîchement moulu
Un peu de lait (facultatif)
80 g de parmesan râpé

Temps de préparation : 50 à 60 mn.
Temps de cuisson : 25 à 30 mn.

1. Lavez les aubergines, débarrassez-les de leur pédoncule et coupez-les, non épluchées, en fines rondelles. Procédez de même pour les courgettes. Fendez les poivrons en deux, retirez le pédoncule, les pépins et les peaux blanches qui se trouvent à l'intérieur, et coupez les poivrons en lanières d'environ 1 cm de largeur. Ébouillantez rapidement les tomates, pelez-les et coupez-les en quatre ou en huit. Pelez les oignons et coupez-les en petits dés, pelez également les gousses d'ail et écrasez-les ou hachez-les très finement.

2. Faites chauffer l'huile dans une grande poêle. Mettez-y à blondir les dés d'oignons. Ajoutez alors l'ail écrasé, les rondelles d'aubergines et de courgettes, ainsi que les lanières de poivrons. Laissez mijoter les légumes 1 à 2 mn maximum, en remuant sans arrêt, puis retirez-les du feu et réservez-les. Ajoutez les morceaux de tomates, salez, poivrez légèrement et parsemez de fines herbes hachées.

3. Partagez les filets d'anchois en deux. Beurrez un plat à gratin, disposez les légumes dans le fond et répartissez les filets d'anchois par-dessus.

4. Préparez la sauce : faites fondre le beurre dans une petite casserole, ajoutez la farine et faites-la revenir dans le beurre fondu en remuant jusqu'à ce qu'elle soit bien enrobée. Versez alors le vin blanc. Battez soigneusement la sauce avec un fouet pour la rendre bien lisse, puis laissez-la bouillir quelques minutes. Salez et poivrez légèrement. Ajoutez la crème fraîche et continuez de battre pour que la sauce soit bien homogène : vous pouvez l'éclaircir avec un peu de lait. Mélangez le fromage râpé et versez la sauce sur les légumes. Mettez, sur la grille placée à la glissière intermédiaire, dans le four préalablement chauffé à 210 °C et laissez cuire 25 à 30 mn.

Courgettes gratinées

Il faut, pour 4 personnes :
800 g de courgettes
50 g de beurre
1/2 cuil. à café de sel
Un peu de poivre fraîchement moulu
1 cuil. à café de thym émietté
2 cuil. à café de persil haché
Pour la sauce :
1/4 l de crème fraîche
2 œufs
1/4 cuil. à café de sel
Un peu de noix de muscade râpée
100 g de fontina

Temps de préparation : 30 mn.
Temps de cuisson : 30 à 40 mn.

1. Lavez les courgettes, débarrassez-les de leur pédoncule et coupez-les en rondelles d'environ 1/2 cm d'épaisseur.

2. Faites fondre le beurre dans une grande poêle, ajoutez les rondelles de courgettes et, sur feu vif, faites-les saisir sur leurs deux faces. Salez et poivrez légèrement, saupoudrez de thym et de persil. Recouvrez le fond d'un grand plat à gratin, non graissé, avec les légumes.

3. Préparez la sauce : mélangez les œufs et la crème avec un fouet. Salez et muscadez. Coupez le fromage en dés et ajoutez-les à la préparation. Répartissez le mélange obtenu sur les rondelles de courgettes et faites gratiner au four préalablement chauffé à 220 °C (glissière intermédiaire) pendant 30 à 40 mn.

Légumes au four

Gratin de pommes de terre et de courgettes

Photo ci-contre

Il faut, pour 4 à 8 personnes :
600 g de courgettes
400 g de pommes de terre
50 g d'échalotes
2 gousses d'ail
Beurre (40 g + 50 g)
1/4 l de bouillon de viande
Beurre pour graisser le plat
Sel
Un peu de poivre fraîchement moulu
2 cuil. à café de thym émietté
2 cuil. à café de basilic haché
50 g de parmesan râpé
30 g de chapelure

Temps de préparation : 40 mn environ.
Temps de cuisson : 40 à 45 mn.

1. Brossez les courgettes sous l'eau courante et débarrassez-les de leur pédoncule, puis coupez-les en rondelles d'environ 2 cm d'épaisseur. Lavez les pommes de terre (elles doivent être à peu près du même calibre que les courgettes), épluchez-les et coupez-les en rondelles d'égale épaisseur.

2. Pelez les échalotes et hachez-les finement. Pelez également les gousses d'ail et écrasez-les.

3. Faites fondre le beurre dans une poêle, faites-y revenir les échalotes hachées et l'ail écrasé jusqu'à ce qu'ils soient translucides. Arrosez avec le bouillon de viande et laissez cuire 3 à 4 mn.

4. Beurrez un plat à gratin de bonne dimension. Disposez-y, en alternant, les rondelles de courgettes et de pommes de terre (elles doivent être de biais, comme sur la photo ci-contre). Salez, poivrez et saupoudrez de thym et de basilic. Versez dessus le bouillon de viande à l'ail et aux échalotes.

5. Coupez 50 g de beurre en petits flocons et parsemez-les sur les légumes. Mélangez le fromage et la chapelure et saupoudrez-en le gratin. Placez dans le four préalablement chauffé à 200 ºC (grille à la glissière intermédiaire) et faites cuire 40 à 45 mn.

Poêlée de poivrons au saucisson à l'ail

Il faut, pour 4 personnes :
100 g d'oignons
1 gousse d'ail
Poivrons (2 verts + 2 rouges)
2 cuil. à soupe d'huile de tournesol
400 g de tomates
1 cuil. à café de sel
Poivre fraîchement moulu
2 cuil. à café de paprika doux
1 cuil. à café d'origan séché
1 cuil. à soupe de persil haché
6 cuil. à soupe de bouillon de viande
300 g de saucisson à l'ail fumé
4 cuil. à soupe de chapelure
150 g de petits pois surgelés
Beurre pour graisser le plat
60 g de parmesan râpé

Temps de préparation : 35 à 40 mn.
Temps de cuisson : 20 mn environ.

1. Pelez les oignons et coupez-les en petits dés. Pelez la gousse d'ail et écrasez-la. Enlevez le pédoncule, les pépins et les parties blanches des poivrons, et coupez-les en dés.

2. Faites chauffer l'huile dans une grande poêle et mettez-y à blondir les dés d'oignons et l'ail. Ajoutez les dés de poivrons et faites revenir sur feu vif pendant 5 à 6 mn.

3. Ébouillantez rapidement les tomates, pelez-les et coupez-les en dés. Mélangez-les au contenu de la poêle. Ajoutez le sel, un peu de poivre, le paprika, l'origan et le persil. Versez le bouillon de viande et laissez mijoter le tout 5 mn environ. Coupez le saucisson à l'ail en tranches fines et incorporez-le, ainsi que la chapelure, aux légumes. Répartissez les petits pois dans le mélange.

4. Beurrez un plat à gratin, garnissez-le de la préparation légumes-saucisson et saupoudrez de parmesan. Faites cuire au four préalablement chauffé à 200 ºC (grille à la glissière inférieure) pendant environ 20 mn.

Gratin de tomates

Photo ci-contre

Il faut, pour 4 personnes :

8 tomates mûres, de taille moyenne

1 tranche de pain de mie

80 g d'oignons

Beurre (20 g + 50 g)

2 cuil. à café de câpres hachées

1 cuil. à soupe de fines herbes
hachées (persil, basilic,
éventuellement thym)

Sel et poivre fraîchement moulu

150 g d'emmenthal râpé

100 g de pommes de terre cuites

Beurre pour graisser le plat

Pour la sauce :

3 œufs

12,5 cl de bouillon de viande épicé

12,5 cl de lait

Sel et poivre fraîchement moulu

2 cuil. à soupe
de ciboulette finement ciselée

1 cuil. à café de paprika doux

Temps de préparation: 50 à 60 mn.

Temps de cuisson : 20 à 30 mn.

1. Lavez les tomates, débarrassez-les de leur pédoncule et coupez un chapeau. A l'aide d'une cuillère à café, enlevez les pépins mais pas la chair qui doit rester à l'intérieur des fruits. Coupez la tranche de pain de mie en cubes. Pelez les oignons et coupez-les en dés.

2. Faites chauffer 20 g de beurre dans une poêle, faites-y revenir les cubes de pain et les dés d'oignons, laissez dorer le tout 2 à 3 mn. Retirez du feu. Ajoutez les câpres hachées et les fines herbes, salez et poivrez. Lorsque la préparation est refroidie, ajoutez le fromage râpé

et mélangez bien. Remplissez les tomates de cette farce. Épluchez les pommes de terre et coupez-les en fines rondelles.

3. Beurrez un grand plat à gratin, rangez-y les tomates farcies, comblez les interstices avec des rondelles de pommes de terre.

4. Préparez la sauce : battez les œufs au fouet, ajoutez d'abord le bouillon de viande, puis le lait. Assaisonnez de sel, de poivre, de ciboulette et de paprika. Versez ce mélange sur les pommes de terre. Coupez en flocons les 50 g de beurre restants et répartissez-les sur le gratin.

Mettez (sur la grille placée à la glissière intermédiaire) dans le four préalablement chauffé à 220 °C et laissez cuire 20 à 30 mn, jusqu'à ce que la surface soit dorée et croustillante.

Gratin de brocolis

Il faut, pour 4 personnes :

1,2 kg de brocolis

Sel

50 g de beurre pour graisser le plat

Amandes hachées

Beurre

Pour la sauce :

30 g de beurre

20 g de farine

1/4 l de lait

1/2 cuil. à café de sel

Un peu de poivre fraîchement moulu

Un peu de noix de muscade râpée

80 g de parmesan râpé

Temps de préparation : 35 à 40 mn.

Temps de cuisson : 20 à 30 mn.

1. Lavez les brocolis, coupez légèrement la tige (les brocolis un peu gros doivent être partagés en deux), et faites-les cuire à la vapeur dans un minimum d'eau salée pendant 5 mn. Retirez-les et faites-les égoutter.

2. Beurrez copieusement un plat à gratin, saupoudrez-le d'amandes hachées et remplissez-le avec les brocolis.

3. Préparez la sauce : faites fondre le beurre dans une casserole, jetez-y la farine et faites-la blondir. Versez le lait, salez, poivrez légèrement, muscadez et laissez la sauce bouillonner doucement 5 mn environ, sur feu très doux, en remuant sans cesse. Ajoutez le fromage et mélangez bien le tout.

4. Versez la sauce sur les brocolis. Parsemez la surface d'amandes hachées et répartissez le beurre (50 g), coupé en petits flocons, sur le dessus.

5. Posez sur la grille placée à la glissière intermédiaire dans le four préalablement chauffé à 220 °C et laissez cuire 20 à 30 mn pour que la croûte du gratin soit bien dorée.

Gratin aux trois légumes et à la crème fraîche

Photo ci-contre

Il faut, pour 4 personnes :

1/2 chou-fleur

250 g de champignons

1 cuil. à café de jus de citron

250 g de haricots verts

1 oignon

1 gousse d'ail

Sel, poivre

Pour la sauce :

250 g de crème fraîche

3 œufs

1 cuil. à café de curry en poudre

Sel, poivre

Pour le plat à gratin :

30 g de beurre

50 g de gruyère

fraîchement râpé

Temps de préparation : 50 à 55 mn.

Temps de cuisson : 10 à 15 mn.

1. Lavez le chou-fleur, ôtez le trognon et les tiges dures ; coupez-le en bouquets. Lavez les champignons et ôtez leur pied terreux ; coupez-les en morceaux, arrosez-les du jus de citron. Lavez les haricots verts et cassez leurs extrémités pour ôter leurs fils. Pelez l'oignon et l'ail.

2. Portez une grande quantité d'eau salée et poivrée à ébullition, ajoutez l'oignon et l'ail entiers et les haricots verts. Faites cuire pendant

8 mn, ajoutez les bouquets de chou-fleur et laissez cuire encore 8 mn. Au bout de ce temps, faites égoutter le tout dans une passoire.

3. Préparez la sauce : mélangez intimement dans un grand plat creux la crème fraîche et les œufs entiers, ajoutez la poudre de curry et battez le tout au fouet jusqu'à ce que la sauce mousse légèrement ; salez et poivrez.

4. Beurrez un plat creux allant au four, répartissez les bouquets de chou-fleur, les haricots verts et les morceaux de champignons citronnés. Versez la sauce pour qu'elle recouvre tous les légumes. Parsemez le gruyère râpé.

5. Allumez le four thermostat 6, glissez-y le plat et faites gratiner pendant 10 à 15 mn.

Ce gratin de légumes accompagne particulièrement bien toutes les viandes rouges et blanches, et les volailles telles que poulet, canard, pintade, etc.

Courgettes et fenouil au basilic et au gouda.

Il faut, pour 4 personnes :

1 bulbe de fenouil

4 courgettes

2 oignons

1 tranche de jambon assez épaisse

4 belles tomates

20 g de beurre

Quelques feuilles de basilic (5 ou 6)

Sel

Poivre fraîchement moulu

Pour la sauce :

1/4 l de bouillon de poule

1 petit pot (125 g) de crème fraîche

1 œuf

200 g de gouda sec râpé
(à défaut, de parmesan)

1 pincée de sel

Poivre fraîchement moulu

Temps de préparation : 50 mn.

Temps de cuisson : 20 mn.

1. Nettoyez le bulbe de fenouil et les courgettes. Lavez-les, brossez-les et coupez le bulbe en grosses tranches ; ôtez les extrémités des courgettes, ne les pelez pas, coupez-les en rondelles.

2. Portez de l'eau salée à ébullition, plongez-y les tranches de fenouil et faites blanchir pendant 4 à 5 mn ; puis faites-les égoutter.

3. Pelez et hachez les oignons. Coupez le jambon en petits dés. Plongez les tomates dans l'eau bouillante, laissez-les 1 mn, puis pelez-les et coupez-les en petits dés également.

4. Allumez le four thermostat 7. Faites fondre le beurre dans un grand plat allant au four. Sur la plaque électrique de votre cuisinière, posez le plat et faites-y revenir les oignons ; lorsqu'ils sont juste translucides, ajoutez les dés de jambon et de tomates. Salez légèrement, poivrez, puis parsemez les feuilles de basilic finement ciselées, remuez bien le tout et laissez cuire pendant 5 mn.

5. Répartissez dans le plat, par rangées successives, les tranches de fenouil en les faisant se chevaucher et les rondelles de courgettes, en les faisant se chevaucher également, puis éteignez la plaque électrique. Laissez le plat sur la plaque le temps de préparer la sauce.

6. Sur feu vif, faites réduire le bouillon de poule jusqu'à ce qu'il n'en reste plus que la moitié environ. Laissez tiédir quelques minutes, puis ajoutez la crème fraîche battue avec l'œuf entier. Fouettez le tout et ajoutez le fromage râpé, le sel (facultatif) et le poivre (facultatif également). Battez encore au fouet quelques secondes, puis versez cette sauce sur les légumes.

7. Glissez le plat dans le four et laissez gratiner pendant 20 mn environ. Il faut que la couche supérieure forme une croûte d'une jolie couleur noisette.

Gratin dauphinois

Photo ci-contre

Il faut, pour 4 personnes :

1 kg de pommes de terre
à chair ferme (BF 15)

1/2 l de lait

2 cuil. à soupe
de crème fraîche épaisse

1 gousse d'ail

1 pincée de noix de muscade râpée

50 g de beurre pour graisser le plat

Sel, poivre

Temps de préparation : 20 mn.
Temps de cuisson : 1 h à 1 h 10 mn.

1. Pelez et essuyez les pommes de terre à l'aide de papier absorbant. Évitez de les laver car elles resteraient un peu humides ; si elles sont trop terreuses, lavez-les quand même et séchez-les soigneusement.

2. Pelez la gousse d'ail, coupez-la en deux et frottez-en un plat creux

allant au four ; beurrez le plat et essuyez-le avec du papier absorbant. Coupez les pommes de terre en fines rondelles et disposez-les dans le plat. Salez et poivrez légèrement.

3. Allumez le four thermostat 5. Faites tiédir le lait et faites-y « fondre » la crème fraîche, ajoutez la pincée de muscade, battez légèrement le mélange et étalez-le régulièrement sur les pommes de terre. Parsemez de quelques noisettes de beurre et glissez le plat dans le four.

4. Au bout de 1 h à 1 h 10 mn, les pommes de terre doivent être cuites. Elles seront fondantes à l'intérieur, croustillantes et dorées à l'extérieur. Si elles doraient trop vite, recouvrez-les de papier aluminium vers la fin de la cuisson.

Notre conseil : Vous pouvez ajouter 1 ou 2 œufs entiers dans le mélange lait-crème, mais, dans ce cas, réduisez légèrement la quantité de lait. Bien que cela ne fasse pas partie de la recette d'origine, il est fréquent d'ajouter du gruyère râpé sur le dessus des pommes de terre pour en faciliter le « gratinage »… Pourquoi pas ?

Gratin savoyard

Il faut, pour 4 personnes :

1 kg de pommes de terre
à chair ferme (BF 15)

200 g de gruyère râpé

1/2 l de bouillon de volaille

50 g de beurre pour graisser le plat

Sel, poivre

1 tranche épaisse
de jambon de montagne

Temps de préparation : 15 mn.
Temps de cuisson : 1 h environ.

1. Allumez le four thermostat 5.
2. Pelez et essuyez les pommes de terre avec du papier absorbant. Coupez-les en fines rondelles. Beurrez un plat creux allant au four et disposez les rondelles de pommes de terre par couches successives, en les alternant avec une couche de gruyère râpé et en terminant par le gruyère râpé.

3. Faites chauffer le bouillon de volaille et versez-le, chaud, sur les pommes de terre. Salez, poivrez légèrement et ajoutez quelques noisettes de beurre. Glissez le plat dans le four pour 40 à 45 mn.

4. Coupez le jambon en gros dés (éventuellement, vous pouvez le hacher). Lorsque les pommes de terre ont cuit 40 à 45 mn, elles doivent être moelleuses et fondantes. Retirez le plat du four et répartissez les dés ou le hachis de jambon sur le dessus, replacez au four pour 10 à 15 mn, pas plus, car le jambon durcirait ; il faut qu'il soit juste croustillant et non croquant.

5. Sortez le plat du four et servez aussitôt, accompagné d'une copieuse salade verte bien croquante pour constituer un dîner complet.

Gratin d'épinards

Photo ci-contre

Il faut, pour 4 personnes :
6 œufs
80 g d'oignons - 1 gousse d'ail
Beurre (30 g + 50 g)
1 feuille de laurier
350 g de viandes hachées mélangées
1/2 cuil. à café de sel
Poivre fraîchement moulu
1 cuil. à café de paprika doux
1 kg d'épinards frais
Pour la sauce :
12,5 cl de crème fraîche
12,5 cl de lait - 1 œuf
Sel et poivre fraîchement moulu
Noix de muscade râpée
80 g de gouda vieux ou de parmesan râpé

Temps de préparation : 40 à 50 mn.

Temps de cuisson : 40 à 50 mn.

1. Faites durcir les œufs pendant 8 à 10 mn, puis passez-les sous l'eau froide pour qu'ils refroidissent plus vite. Pelez les oignons et coupez-les en dés. Pelez la gousse d'ail et écrasez-la.

2. Faites fondre 30 g de beurre dans une poêle et faites-y revenir les dés d'oignons. Ajoutez l'ail, la feuille de laurier ainsi que la viande hachée, et faites saisir le tout 3 à 4 mn sur feu vif. Assaisonnez de sel, d'un peu de poivre et de paprika.

3. Nettoyez les épinards, coupez leurs tiges dures et plongez-les rapidement dans de l'eau bouillante pour qu'ils deviennent tendres. Sortez-les immédiatement et arrosez-les d'eau fraîche afin qu'ils conservent leur belle couleur verte. Faites-les égoutter, en tassant un peu, pour qu'ils perdent l'excédent d'eau. Écalez les œufs et coupez-les en rondelles.

4. Beurrez un grand plat à gratin. Mettez-y d'abord une couche d'épinards, puis une couche de rondelles d'œufs, et enfin une couche de viande hachée. Étalez bien et recommencez l'opération avec les épinards. Remplissez le plat, toujours en formant des couches, jusqu'à ce que les ingrédients soient épuisés (la couche supérieure doit être faite d'épinards). Gardez quelques rondelles d'œufs pour décorer au moment de servir.

5. Préparez la sauce : mélangez la crème avec le lait et l'œuf, salez, poivrez et muscadez. Ajoutez le fromage râpé. Versez cette sauce sur le gratin.

6. Glissez le plat sur la grille placée à la glissière inférieure, dans le four préalablement chauffé à 200 °C. Laissez cuire 20 mn environ, puis parsemez de flocons de beurre et poursuivez la cuisson 20 à 25 mn. Avant de servir, décorez le dessus du plat avec les rondelles d'œufs gardées en réserve.

Gratin d'aubergines

Il faut, pour 4 personnes :
1 kg d'aubergines
300 g de petites saucisses de porc fumées
4 cuil. à soupe d'huile de tournesol
200 g de tomates
1/2 cuil. à café de sel
Poivre fraîchement moulu
2 cuil. à café de basilic haché
Beurre pour le plat
Pour la sauce :
3 œufs - 1/4 l de lait
1/2 cuil. à café de sel - Paprika
Poivre fraîchement moulu

Temps de préparation : 50 à 60 mn.

Temps de cuisson : 40 mn environ.

1. Lavez les aubergines, débarrassez-les de leur pédoncule et coupez-les en tranches de 1/2 cm d'épaisseur. Coupez les saucisses en tranches d'égale épaisseur.

2. Faites chauffer l'huile dans une grande poêle. Faites-y dorer rapidement et sur leurs deux faces les tranches d'aubergines, que vous mettrez en plusieurs fois. Sortez-les et laissez-les égoutter sur du papier absorbant. Faites saisir, des deux côtés, les tranches de saucisse et retirez-les du feu. Ébouillantez rapidement les tomates, pelez-les et coupez-les en dés.

3. Beurrez un grand plat. Rangez-y, en couches, les tranches d'aubergines et de saucisses et les dés de tomates, puis recommencez avec les aubergines et continuez jusqu'à épuisement des ingrédients. N'oubliez pas de mettre du sel, du poivre et du basilic entre les différentes couches.

4. Préparez la sauce en mélangeant bien tous les ingrédients et versez-la sur le gratin. Faites cuire environ 40 mn au four préalablement chauffé à 220 °C (la grille doit être placée à la glissière inférieure).

Crêpes farcies et gratinées

Crêpes aux ris de veau

Il faut, pour 4 personnes :
Pour la pâte :
20 g de beurre
50 g de farine
2 œufs
12,5 cl de lait
Un peu de sel et de poivre
fraîchement moulu
Pour la farce :
400 g de ris de veau
Sel
50 g d'échalotes
40 g de beurre
Poivre fraîchement moulu
1 pointe de gingembre moulu
1 cuil. à soupe de persil haché
1 cuil. à café de basilic haché
Quelques gouttes de sauce soja
2 cl de cognac
3 cuil. à soupe de crème fraîche
Pour la sauce :
1 œuf
12,5 cl de crème
Un peu de sel et de poivre
fraîchement moulu
Pour le décor :
Quelques rondelles de tomates frites

Temps de préparation : 1 h
(+ 30 mn pour le repos de la pâte).
Temps de cuisson : 20 mn environ.

1. Préparez la pâte : faites fondre 20 g de beurre sur feu très doux. Tamisez la farine dans un récipient creux, ajoutez les œufs, le lait, un peu de sel et de poivre ainsi que le beurre fondu, et fouettez le tout jusqu'à ce que vous obteniez une pâte fine et lisse. Il ne doit, en aucun cas, rester des grumeaux. Laissez reposer la pâte 30 mn environ.

2. Mettez les ris de veau dans un récipient creux et remplissez-le d'eau froide. Laissez-les ainsi dégorger pendant une quinzaine de minutes. Au bout de ce temps, égouttez-les et décollez, autant que possible, la peau externe. Amenez de l'eau salée à ébullition, faites-y raidir très rapidement les ris de veau (cela prend au maximum 1 à 2 mn), sortez-les immédiatement et coupez-les en cubes.

3. Pelez les échalotes et hachez-les très finement.

4. Avec la pâte, faites cuire quatre crêpes d'environ 18 cm de diamètre dans une poêle préalablement beurrée. Au fur et à mesure qu'elles sont prêtes, posez-les sur une assiette et tenez-les au chaud.

5. Faites fondre 40 g de beurre dans une poêle et mettez-y à revenir les échalotes hachées jusqu'à ce qu'elles deviennent translucides. Ajoutez les cubes de ris de veau, assaisonnez de 1/2 cuillerée à café de sel, d'un peu de poivre, de poudre de gingembre, de persil, de basilic et de sauce soja, et, en remuant sans cesse, laissez mijoter environ 2 mn. Ajoutez alors la crème fraîche et le cognac, et laissez mijoter encore 2 mn.

6. Étendez les crêpes sur le plan de travail, disposez les ris de veau dessus et étalez bien la garniture. Roulez les crêpes sur elles-mêmes et rangez-les dans un plat beurré.

7. Préparez la sauce : battez l'œuf avec la crème, salez, poivrez et versez sur les crêpes. Faites cuire le tout au four préalablement chauffé à 200 °C (la grille doit être placée à la glissière intermédiaire) pendant 20 mn environ. Décorez avec des rondelles de tomates frites dans du beurre ou de l'huile d'olive.

Crêpes farcies à la mousse de saumon

Photo ci-contre

Il faut, pour 4 personnes :
Pour la pâte :
200 g de farine
3 œufs - 4 dl de lait
(ou 2 dl de lait et 2 dl de bière)
30 g de beurre fondu
Un peu d'huile d'arachide
pour la cuisson
Pour la farce :
200 g de chair de saumon crue
100 g d'œufs de saumon frais
(ou en semi-conserve)
Le jus de 1/2 citron
100 g de crème fleurette
Sel, poivre
Quelques feuilles d'aneth
(pour le décor)
Un peu de beurre pour le plat

Temps de préparation : 40 mn (+ 1 h pour le repos de la pâte). Temps de cuisson : 20 mn pour les crêpes, 15 mn pour le gratin.

1. Préparez la pâte à crêpes : versez la farine dans un plat creux, formez un puits en son centre, cassez-y les œufs, commencez à battre avec un fouet électrique, à petite vitesse, puis ajoutez peu à peu le lait ou le lait et la bière (dans ce cas, la pâte lèvera mieux), arrosez avec le beurre fondu, battez cette fois à vitesse accélérée, puis laissez la pâte reposer pendant 1 h.

2. Coupez la chair de saumon en petits morceaux et hachez-la grossièrement dans le bol d'un mixer

électrique, ajoutez les œufs de saumon débarrassés de leur membrane s'ils sont frais, tels qu'ils sont dans leur petit pot s'ils sont en semi-conserve. Versez le jus de citron et mixer le tout jusqu'à obtenir une fine pommade, ajoutez alors la crème fleurette, le sel, le poivre, quelques feuilles d'aneth et mixez encore pour rendre cette pommade « mousseuse ». Placez-la au frais, le temps de préparer les crêpes.

3. Lorsque la pâte à crêpes a bien reposé, graissez une poêle avec un peu d'huile et faites-y couler une petite quantité de pâte en secouant la poêle dans tous les sens ; faites ainsi cuire les crêpes sur leurs deux faces jusqu'à ce qu'elles soient joliment dorées.

4. Beurrez un plat allant au four et allumez le four thermostat 5-6.

5. Fourrez chacune des crêpes d'un peu de la farce de saumon et enroulez-les sur elles-mêmes, tassez-les bien dans le plat à gratin pour qu'elles ne se défassent pas à la cuisson. Glissez le plat au four et laissez cuire pendant 10 mn ; au bout de ce temps, allumez le four sur la position gril et faites gratiner pendant 4 à 5 mn supplémentaires. Au moment de servir, décorez de quelques feuilles d'aneth.

Crêpes farcies aux épinards et aux amandes

Il faut, pour 4 personnes :
Pour la pâte :
Les mêmes ingrédients que
pour la recette précédente

Pour la farce :
100 g de ricotta bien égouttée
300 g de jeunes épinards
50 g d'amandes mondées
50 g de parmesan fraîchement râpé
Sel, poivre
50 g de beurre
1 cuil. à soupe de jus de citron

Temps de préparation : 35 mn. Temps de cuisson : 30 mn (y compris le temps de cuisson des crêpes).

1. Préparez la même pâte que celle qui est indiquée dans la recette précédente.

2. Préparez la farce : lavez et triez les épinards, équeutez-les pour ne garder que les feuilles tendres. Faites-les fondre sur feu doux, dans une petite casserole, puis laissez le liquide s'évaporer ; pressez les feuilles pour en exprimer toute l'eau et placez-les dans le bol d'un mixer, ajoutez la ricotta coupée en gros morceaux ou écrasée, les amandes entières, le sel, le poivre et le parmesan. Mixez à grande vitesse pendant 10 à 15 secondes ; il faut que les amandes soient juste concassées et non réduites en poudre. Gardez cette farce au frais, le temps de préparer les crêpes.

3. Préparez les crêpes comme il est indiqué dans la recette précédente. Farcissez-les de la préparation aux épinards et faites-les gratiner pendant 5 à 6 mn sur le gril bien chaud.

4. Faites fondre le beurre dans une petite casserole, clarifiez-le et ajoutez le jus de citron, versez ce mélange sur les crêpes farcies juste au moment de servir.

Gratin de crêpes aux foies de volaille

Il faut, pour 4 à 6 personnes :

Pour la pâte :

130 g de farine

2 œufs

1/4 cuil. à café de sel

1/4 l de lait

60 à 70 g de beurre

(pour faire cuire les crêpes)

Pour la farce :

80 g d'oignons

1 gousse d'ail

100 g de carottes

50 g de céleri-rave

1 poireau (50 g environ)

120 g de champignons frais

200 g de foies de volaille

40 g de beurre

250 g de hachis de porc

4 cuil. à soupe de vin rouge corsé

1 cuil. à café de sel

Un peu de poivre fraîchement moulu

1 cuil. à café de paprika doux

1 cuil. à soupe de fines herbes

hachées mélangées (thym, sauge,

romarin, persil et ciboulette)

200 g de petits pois surgelés

Pour le plat :

Beurre

Chapelure

Pour la sauce :

40 g de beurre

20 g de farine

1/4 l de bouillon de viande épicé

Un peu de sel et de poivre

fraîchement moulu

12,5 cl de crème

50 g de gouda mi-vieux râpé

Temps de préparation : 1 h 10 mn (+ 30 mn pour le repos de la pâte).
Temps de cuisson : 30 à 40 mn.

1. Préparez la pâte : mélangez soigneusement la farine, les œufs, le sel et le lait à l'aide d'un fouet. Laissez reposer au moins 30 mn. Si la pâte est trop épaisse, ajoutez encore un peu de lait (ou de bière).

2. Pour la cuisson des crêpes, choisissez une poêle dont le diamètre correspond à peu près à celui du plat dans lequel vous mettrez votre gratin. Avec la pâte, préparez six à huit crêpes que vous ferez cuire dans du beurre. Tenez-les au chaud au fur et à mesure qu'elles sont prêtes.

3. Préparez la farce : pelez les oignons et hachez-les très finement. Pelez également la gousse d'ail et écrasez-la. Épluchez les carottes et le céleri-rave, coupez-les en tout petits dés. Nettoyez le poireau et détaillez-le en fines rondelles. Épluchez les champignons et émincez-les. Détaillez les foies de volaille en petits dés ou en tranches fines.

4. Faites fondre 40 g de beurre dans une grande poêle, faites-y revenir les oignons et l'ail, puis ajoutez les dés de carottes et de céleri ainsi que les rondelles de poireau, et laissez mijoter 2 mn environ. Mettez alors les champignons émincés et poursuivez la cuisson 1 mn.

5. A l'aide d'une écumoire, retirez les légumes de la poêle, versez-les dans un plat et gardez-les au chaud.

6. Faites chauffer à nouveau la graisse se trouvant dans la poêle (s'il n'y en a plus assez, rajoutez un peu de beurre) et faites-y saisir rapidement la viande de porc hachée, sans cesser de remuer. Mettez ensuite les foies de volaille et faites revenir à feu très vif.

7. Remettez les légumes dans la poêle et couvrez de vin rouge. Assaisonnez de sel, d'un peu de poivre fraîchement moulu, de paprika et de fines herbes. Ajoutez enfin les petits pois.

8. Beurrez un plat à gratin d'une contenance de 2 l environ, saupoudrez-le de chapelure et rangez-y la première crêpe. Étalez une couche de farce sur le dessus et recouvrez d'une autre crêpe. Continuez jusqu'à ce que le plat soit rempli.

9. Préparez la sauce : faites fondre le beurre dans une casserole, jetez-y la farine et faites-la blondir, puis, en remuant sans cesse, versez le bouillon de viande, salez et poivrez. Ajoutez la crème et faites cuire la sauce à gros bouillons pendant 4 à 5 mn. Au bout de ce temps, versez le gouda râpé et continuez à bien mélanger. Répartissez la sauce au fromage sur le dessus du gratin. Mettez au four préalablement chauffé à 200 °C environ (grille placée à la glissière inférieure) et laissez cuire jusqu'à ce que la surface soit bien dorée (cela demande 30 à 40 mn).

Plats rustiques

Bäckeofe

(littéralement,
« four du boulanger »)

Cette recette traditionnelle, faite d'un ragoût de viandes, est particulièrement populaire en Alsace. On dit qu'autrefois, on le faisait cuire dans le four du boulanger. La méthode qui consiste à cuire, au four, de la viande sous une croûte de pommes de terre est très répandue et donne des résultats surprenants. Il n'est pas indispensable que vous utilisiez (comme dans la recette suivante) du porc. Veau, volaille ou agneau, voire même un mélange de ces différentes viandes, feront tout aussi bien l'affaire.

Il faut, pour 4 à 6 personnes :
1 kg de gorge de porc désossée
250 g de petites saucisses de porc fumées
250 g d'oignons
1 gousse d'ail
1 feuille de laurier
Quelques grains de poivre
Quelques baies de genièvre
1/2 l de rosé sec
3 poivrons
(1 jaune + 1 vert + 1 rouge)
150 g de poireaux
2 cuil. à café de sel
1/2 cuil. à café de poivre fraîchement moulu
1 cuil. à soupe de paprika doux
1 kg de pommes de terre
Beurre ou saindoux pour le plat
Pour la sauce :
150 g de crème fraîche
1/2 cuil. à café de sel
Un peu de poivre fraîchement moulu

Temps de préparation : 1 h 30 mn (+ 12 h pour la marinade).
Temps de cuisson : 2 h à 2 h 30 mn.

1. Coupez la gorge de porc en cubes d'environ 2 cm de côté, et les saucisses en morceaux de 2 à 3 cm de long. Pelez 100 g d'oignons et coupez-les en rondelles. Pelez la gousse d'ail et hachez-la. Mettez dans un plat les cubes de viande, les petits morceaux de saucisses, les rondelles d'oignons, l'ail haché, la feuille de laurier, quelques grains de poivre et les baies de genièvre ; versez le rosé par-dessus. Couvrez et laissez mariner, toute une nuit si possible, dans un endroit frais.

2. Le lendemain, ouvrez les poivrons en deux, ôtez le pédoncule, les pépins et les peaux blanches qui se trouvent à l'intérieur, coupez la chair en lanières d'environ 1 cm de large. Nettoyez les poireaux et détaillez-les en fines rondelles. Pelez 150 g d'oignons et coupez-les en petits dés.

3. Retirez la feuille de laurier et les baies de genièvre de la viande marinée. Ajoutez les lanières de poivrons, les rondelles de poireaux et les dés d'oignons. Assaisonnez de sel, de poivre et de paprika. Pelez les pommes de terre et coupez-les en fines rondelles.

4. Avec du beurre ou du saindoux, graissez un grand plat en terre cuite (muni, si possible, d'un couvercle) et tapissez le fond d'une fine couche de pommes de terre. Écumez 12,5 cl de marinade et réservez-les. Mettez la viande et le reste de la marinade sur la couche de pommes de terre et recouvrez avec les pommes de terre restantes, en les plaçant en écailles sur le dessus du plat. Glissez le gratin, couvert, dans le four préalablement chauffé à 200 °C (la grille doit se trouver à la glissière inférieure) et faites-le cuire 1 h.

5. Pendant ce temps, mélangez la crème fraîche avec la marinade que vous avez mise de côté, salez, poivrez et, lorsque le gratin aura cuit pendant 1 h, versez ce mélange sur le dessus. Remettez le couvercle sur votre récipient et poursuivez la cuisson pendant 1 h à 1 h 30 mn, jusqu'à ce que la viande et les pommes de terre soient bien tendres.

Pour accompagner ce plat, servez le même vin que celui que vous avez employé dans la recette.

Chou farci en gratin

Photo ci-contre

Il faut, pour 6 à 8 personnes :
1 chou blanc de 1,5 à 2 kg
Sel
2 petits pains
Un peu de lait tiède
200 g d'oignons
250 g d'épaule de porc
3 cuil. à soupe d'huile
750 g de porc haché
1/4 cuil. à café de poivre fraîchement moulu
1/2 cuil. à café de cumin
1 cuil. à café de marjolaine séchée
12,5 cl de vin blanc
1 œuf
Huile pour graisser le plat
100 g de lard maigre fumé
1 cuil. à soupe de persil haché

Temps de préparation : 1 h.
Temps de cuisson : 50 à 60 mn.

1. Enlevez les feuilles extérieures du chou, puis coupez la pomme en quatre et retirez le trognon. Plongez les morceaux de chou dans de l'eau salée en ébullition et faites-les cuire environ 15 mn. Sortez-les et égouttez-les sur une passoire. Coupez les petits pains en tranches épaisses et trempez-les dans le lait tiède.
2. Pelez les oignons et coupez-les en petits dés. Détaillez l'épaule de porc en cubes d'environ 1 cm de côté. Chauffez l'huile dans une grande poêle et faites-y saisir rapidement les cubes de viande en secouant la poêle de temps à autre.

Ajoutez les dés d'oignons et faites-les dorer 1 à 2 mn. Mettez alors le hachis de porc et, en remuant sans cesse, faites-le revenir 4 à 5 mn. Assaisonnez de 1 cuillerée à café de sel, de poivre, de cumin et de marjolaine, mouillez avec le vin blanc et laissez mijoter encore 10 mn.
3. Coupez en très petits dés ou hachez finement le chou précuit. Malaxez avec la préparation à la viande, ajoutez les petits pains bien essorés et l'œuf. Mélangez le tout jusqu'à former une pâte compacte.
4. Huilez légèrement un grand plat à gratin, versez-y le mélange. Lissez bien la surface et recouvrez avec le lard coupé en fines tranches. Mettez au four préalablement chauffé à 220 °C (grille à la glissière inférieure) et laissez cuire 50 à 60 mn. Si le dessus du gratin brunissait trop, recouvrez-le d'une feuille d'aluminium ou de papier sulfurisé. Avant de servir, parsemez le gratin de persil haché.

Gratin de chou frisé

Il faut, pour 4 à 6 personnes :
1 chou frisé (800 g à 1 kg)
Sel
200 g d'oignons
1 gousse d'ail
40 g de beurre
600 g d'épaule de porc
1/2 cuil. à café de poivre fraîchement moulu
2 cuil. à café de paprika doux
1/2 cuil. à café de marjolaine séchée
2 cuil. à café de moutarde forte
1/4 l de vin rouge
1/4 l de bouillon de viande
Beurre pour graisser le plat
Pour la sauce :
1 œuf
1/4 l de crème fraîche
1/2 cuil. à café de sel
1 cuil. à soupe de persil haché

Temps de préparation : 50 mn.
Temps de cuisson : 40 à 50 mn.

1. Faites cuire les feuilles de chou frisé dans de l'eau salée pendant 12 à 15 mn. Égouttez-les et coupez-les finement. Pelez les oignons et coupez-les en dés, pelez la gousse d'ail et écrasez-la. Faites revenir les oignons et l'ail dans le beurre.
2. Coupez la viande en petits cubes, ajoutez-les aux oignons, assaisonnez avec 1 cuillerée à café de sel, le poivre, le paprika, la marjolaine et la moutarde. Versez le vin et le bouillon, laissez mijoter jusqu'à ce que le liquide ait réduit de moitié.
3. Garnissez un plat préalablement beurré avec le mélange viande-chou. Battez légèrement tous les ingrédients entrant dans la composition de la sauce (œuf, crème fraîche, sel et persil) et versez sur le gratin. Faites cuire au four préalablement chauffé à 210 °C (grille à la glissière inférieure) pendant 40 à 50 mn.

Ragoût de gibier en croûte de maïs

Il faut, pour 4 personnes :

800 g d'épaule de cerf
ou de chevreuil désossée
100 g de carottes
100 g de céleri-branche
200 g d'oignons
1 gousse d'ail
3 cuil. à soupe d'huile végétale
12,5 cl de beaujolais
1 cuil. à café de sel
Un peu de poivre fraîchement moulu
1 cuil. à café de paprika fort
1/2 cuil. à café de thym émietté
1 branche de romarin
2 feuilles de sauge
1 cuil. à soupe de persil haché
2 cuil. à soupe de concentré
de tomates
Pour la croûte :
1 oignon de 40 g
20 g de beurre
4 tranches de pain de mie
12,5 cl de crème fraîche liquide
1 œuf
1/2 cuil. à café de sel
Un peu de poivre fraîchement moulu
2 boîtes de maïs en grains,
de 340 g chacune

Temps de préparation : 1 h à 1 h 10 mn.
Temps de cuisson : 45 à 50 mn.

1. Dénervez soigneusement le gibier et coupez-le en petits cubes de 2 cm de côté maximum. Épluchez les carottes et coupez-les en tout petits dés. Épluchez le céleri-branche et coupez-le en fins bâtonnets. Pelez les oignons et coupez-les en anneaux. Pelez la gousse d'ail et hachez-la.

2. Chauffez l'huile dans une grande poêle et faites-y revenir les oignons et l'ail, puis sortez-les à l'aide d'une écumoire et jetez les dés de viande dans l'huile, faites-les saisir de tous côtés sur feu vif. Remettez alors le mélange oignons-ail dans la poêle, ajoutez les dés de carottes et les bâtonnets de céleri, arrosez le tout de beaujolais. Relevez bien avec du sel, un peu de poivre, du paprika, du thym, du romarin, de la sauge et du persil. Vous pouvez hacher les feuilles de sauge ou les laisser entières. Si vous utilisez les feuilles entières, il vous faudra les retirer par la suite. Ajoutez le concentré de tomates et laissez cuire le ragoût à petits bouillons pendant une dizaine de minutes.

3. Préparez la croûte : pelez l'oignon et coupez-le en dés. Faites fondre le beurre dans une poêle et mettez-y à dorer les dés d'oignon. Coupez le pain de mie en cubes et faites-les griller, à feu vif, sur toutes leurs faces.

4. Versez les dés d'oignon et le pain de mie dans un plat creux. Brassez ensemble la crème, l'œuf, le sel et un peu de poivre. Versez la sauce ainsi obtenue sur le mélange pain-oignon, laissez imbiber quelques minutes. Faites égoutter le maïs sur une passoire et versez-le dans le plat. Mélangez bien le tout.

5. Garnissez un grand plat à gratin, non graissé, du ragoût de gibier, et recouvrez-le du mélange de maïs. Placez le plat au four préalablement chauffé à 200 °C (la grille doit se trouver à la glissière inférieure) et laissez cuire 45 à 50 mn.

Variante : Ragoût de gibier en croûte de macaroni

Si vous préférez les pâtes au maïs, vous devriez essayer cette délicieuse variante. Jetez 250 g de macaroni dans de l'eau salée et faites-les cuire al dente (c'est-à-dire qu'ils doivent rester un peu fermes). Passez-les sous l'eau froide, égouttez-les, puis coupez-les en morceaux d'environ 2 cm de long. Mélangez 3 œufs avec 12,5 cl de crème fraîche, 150 g d'emmenthal râpé, un peu de sel et de poivre. Ajoutez ce mélange aux macaroni coupés en morceaux. Versez le ragoût, préparé comme dans la recette précédente, dans un plat non graissé et recouvrez d'une couche de macaroni. Parsemez le dessus du gratin de 50 g de beurre en flocons. Mettez au four préalablement chauffé à 200 °C (grille placée à la glissière inférieure) et laissez cuire jusqu'à ce que la surface soit dorée et croustillante. Temps de cuisson : 40 mn environ.

Gratin de polenta

Photo ci-contre, au premier plan

Il faut, pour 4 personnes :
1 l de lait
1 cuil. à café de sel
Poivre fraîchement moulu
200 g de semoule de maïs épaisse
Beurre pour graisser le moule
Pour la farce :
100 g d'oignons
80 g de carottes
500 g de viande de porc maigre (épaule)
2 cuil. à soupe d'huile végétale
1 cuil. à soupe de vinaigre de vin
12,5 cl de vin rouge
12,5 cl de bouillon de viande épicé
1/2 cuil. à café de sel
10 gouttes de tabasco
1 cuil. à soupe de paprika doux
1 cuil. à soupe de persil haché
50 g d'emmenthal râpé

Temps de préparation : 1 h.
Temps de cuisson : 30 à 35 mn.

1. Dans une grande casserole, portez à ébullition le lait additionné de sel et d'un peu de poivre. Baissez un peu le feu et, en remuant constamment, versez peu à peu la semoule en pluie. Laissez gonfler 15 à 20 mn sur feu très doux.
2. Pelez les oignons, épluchez les carottes et coupez tous les légumes en petits dés. Détaillez la viande en cubes de 1 à 1,5 cm de côté.
3. Chauffez l'huile dans une grande poêle et faites-y revenir les dés d'oignons. Ajoutez les cubes de viande, faites-les saisir rapidement sur feu vif, sans cesser de remuer.

Mettez alors les dés de carottes, versez le vinaigre, le vin et le bouillon de viande. Laissez cuire le ragoût à petits bouillons pendant 10 à 15 mn, jusqu'à ce que le liquide ait réduit au minimum de moitié. Assaisonnez avec le reste des ingrédients.
4. Beurrez un grand moule à manqué. Disposez au fond une fine couche de bouillie de polenta, étalez le ragoût par-dessus et recouvrez avec la polenta restante. Lissez bien le dessus avec le dos d'une cuillère. Faites cuire au four préalablement chauffé à 200 °C (grille à la glissière inférieure) pendant 20 mn. Coupez le fromage en dés et parsemez-les sur le gratin. Remettez celui-ci au four pendant 10 à 15 mn.

Gratin de pommes de terre aux œufs

Photo ci-contre, à l'arrière-plan

Il faut, pour 4 personnes :
1 kg de pommes de terre cuites et refroidies
50 g de beurre
2 jaunes d'œufs
Environ 12,5 cl de lait
1/2 cuil. à café de sel
Poivre fraîchement moulu
2 blancs d'œufs
Beurre pour graisser le plat
250 g de petites saucisses
50 g de lard maigre fumé
30 g de chapelure
50 g de gruyère ou d'emmenthal râpé
4 œufs

2 cuil. à café de fines herbes hachées (persil, ciboulette, thym et romarin)

Temps de préparation : 40 mn.
Temps de cuisson : 20 à 30 mn.

1. Pelez les pommes de terre refroidies et écrasez-les à la fourchette. Battez ensemble le beurre et les jaunes d'œufs jusqu'à ce que le mélange devienne mousseux, ajoutez-le aux pommes de terre. Versez lentement autant de lait qu'il est nécessaire pour obtenir une purée plutôt ferme. Battez les blancs en neige et incorporez-les délicatement. Salez, poivrez la purée en soulevant le mélange pour que les blancs ne retombent pas.
2. Beurrez un grand plat à four. Coupez les saucisses en tranches et faites-les saisir rapidement dans le plat, posé sur une plaque électrique, par exemple. Recouvrez-les de purée soufflée, lissez bien le dessus, puis formez quatre creux en surface.
3. Coupez le lard en très petits dés, faites-le griller dans une poêle. Ajoutez la chapelure et faites dorer le tout 2 à 3 mn, puis laissez tiédir un peu.
4. Incorporez alors le fromage et parsemez le gratin de ce mélange. Saupoudrez de fines herbes. Cassez les œufs et faites-les glisser doucement à l'intérieur des creux que vous avez formés auparavant. Préchauffez votre four à 200 °C. Faites cuire le gratin, sur la grille placée à la glissière intermédiaire, pendant 20 à 30 mn.

Gratins de queues de langoustines

Photo ci-contre

Vous pouvez réaliser des petits gratins, que vous servirez en entrée, dans des coquilles ou dans des petits plats. Pour éviter que ceux-ci ne se renversent pendant la cuisson, placez-les de préférence sur la plaque du four recouverte d'une épaisse couche de sel, ou encore de papier aluminium froissé.

Il faut, pour 4 personnes :
4 queues de langoustines
30 g de carottes
30 g de céleri-branche
30 g de beurre
2 cuil. à soupe d'échalotes finement hachées
1 pointe de sel
Poivre fraîchement moulu
2 cuil. à soupe de petits pois surgelés
2 cl de cognac
Beurre (pour les coquilles)
Pour la sauce :
2 jaunes d'œufs
4 cuil. à soupe de crème fraîche
Sel et poivre
2 cuil. à soupe de gouda vieux finement râpé

Temps de préparation : 30 mn.
Temps de cuisson : selon l'aspect.

1. Lavez les queues de langoustines, plongez-les rapidement dans de l'eau bouillante, puis décortiquez-les, partagez-les en deux dans le sens de la longueur et enlevez les filaments noirs qui apparaissent. Épluchez les carottes et coupez-les en bâtonnets. Épluchez également le céleri et coupez-le en lanières.

2. Faites fondre le beurre dans une poêle et faites-y revenir très légèrement les échalotes. Ajoutez alors les queues de langoustines, partie coupée tournée vers la poêle. Parsemez les bâtonnets de carottes et les lanières de céleri. Salez, poivrez légèrement, puis ajoutez les petits pois et le cognac. Laissez étuver le tout pendant environ 2 mn, il faut que les légumes soient juste attendris. Répartissez alors le mélange dans quatre coquilles préalablement beurrées.

3. Préparez la sauce : battez ensemble les jaunes d'œufs et la crème fraîche, salez et poivrez légèrement, ajoutez le fromage râpé et versez le mélange sur les langoustines. Faites gratiner rapidement au four préalablement chauffé à 200 ºC (grille à la glissière intermédiaire), jusqu'à ce que la croûte soit dorée.

Coquilles Saint-Jacques à l'effilochée de poireaux

Il faut, pour 4 personnes :
300 g de blancs de poireaux
2 ou 3 belles tomates
1 échalote
1 gousse d'ail
30 g de beurre (ou 15 g de beurre + 1 cuil. à soupe de crème fraîche)
4 coquilles Saint-Jacques toutes préparées (noix + corail) avec leur coquille
Sel, poivre
Beurre (pour les coquilles)

Temps de préparation : 35 mn.
Temps de cuisson : 15 mn.

1. Lavez les poireaux et ôtez-en la partie verte (elle servira pour un potage ou une purée). Il faut que vous obteniez environ 300 g de blancs de poireaux. Coupez les blancs en tronçons de 5 cm environ, puis, dans le sens de la longueur, « effilochez-les », c'est-à-dire coupez-les en longs filaments.

2. Plongez les tomates 1 mn dans de l'eau bouillante puis pelez-les, coupez-les en deux, pressez-les avec les mains pour en faire sortir les pépins et la pulpe, coupez la chair en petits dés en prenant bien soin d'éliminer le trognon.

3. Pelez et hachez finement l'échalote et l'ail ; faites fondre le beurre (ou le beurre et la crème) dans une casserole, ajoutez-y le hachis d'échalote et d'ail, et faites revenir jusqu'à ce qu'il devienne translucide ; versez alors les cubes de tomates et laissez réduire à petit feu. Au bout de 4 à 5 mn, ajoutez les coquilles Saint-Jacques, noix entières et corail coupé en petits cubes. Salez, poivrez et remuez de temps à autre.

4. Faites blanchir l'effilochée de poireaux dans de l'eau bouillante salée pendant 6 mn, puis plongez-la dans de l'eau froide pour stopper la cuisson. Faites bien égoutter sur une passoire et séchez sur du papier absorbant.

5. Allumez le four thermostat 6. Beurrez largement les coquilles bien nettoyées et disposez au fond de chacune d'elles une couche de poireaux, posez dessus une noix de Saint-Jacques, et répartissez la purée de tomates et les dés de corail de sorte que les poireaux en soient bien recouverts.

6. Posez les coquilles sur une lèchefrite et faites-les tenir en les enfonçant sur un bloc de gros sel. Faites cuire pendant 10 mn. Ensuite, réglez le four sur position gril, thermostat 7, et faites gratiner pendant 5 mn supplémentaires.

Gratin de nouilles au poulet

Photo ci-contre, au premier plan

Il faut, pour 2 personnes :
4 blancs de poulet surgelés
(350 à 400 g)
150 g de fettucine
(pâtes en longues bandes)
Sel
80 g de foies de poulet
Poivron (1/2 rouge + 1/2 jaune)
1 oignon de 50 g - 1 gousse d'ail
30 g de beurre
Poivre fraîchement moulu
1 cuil. à café de paprika doux
Beurre pour graisser le plat
Pour la sauce :
3 cuil. à soupe de bouillon
de viande épicé
3 cuil. à soupe de crème fraîche
1 jaune d'œuf
50 g de parmesan râpé

Temps de préparation : 1 h.
Temps de cuisson : 15 à 20 mn.

1. Si vous avez un four à micro-ondes, utilisez-le pour faire décongeler les blancs de poulet ; sinon, il dégèleront à température tiède dans un four préchauffé.
2. Faites cuire les nouilles dans de l'eau salée. Lorsqu'elles sont al dente, rafraîchissez-les et laissez-les égoutter sur une passoire.
3. Détaillez les blancs et les foies de poulet en dés de 1 cm de côté. Débarrassez les poivrons de leur pé-

doncule, de leurs pépins et de leurs parties blanches, puis coupez-les en fines lanières. Pelez l'oignon et coupez-le en dés. Pelez la gousse d'ail et écrasez-la.
3. Faites fondre le beurre dans une grande poêle et faites-y revenir les dés d'oignon et l'ail jusqu'à ce qu'ils deviennent translucides. Ajoutez les dés de poulet et faites-les saisir sur feu assez vif pendant 1 à 2 mn. Ajoutez les lanières de poivrons et laissez mijoter 2 mn. Mettez les foies de poulet et, en remuant, faites-les revenir rapidement pour qu'ils raidissent. Hors du feu, assaisonnez avec 1/4 cuil. à café de sel, un peu de poivre et du paprika. Ajoutez les nouilles et mélangez bien le tout.
4. Beurrez un plat à gratin et remplissez-le du mélange que vous venez de préparer.
5. Battez ensemble le bouillon de viande, la crème fraîche, le jaune d'œuf et le parmesan. Répartissez la sauce sur le gratin de nouilles. Faites cuire 15 à 20 mn dans le four préchauffé à 210 ºC, sur la grille placée à la glissière intermédiaire.

Nouilles vertes aux fruits de mer

Photo ci-contre, à l'arrière-plan

Il faut, pour 2 personnes :
120 g de nouilles vertes - Sel
4 filets de soles (300 à 350 g)
4 queues de crevettes bouquets
(150 à 200 g)
40 g de carottes
60 g de céleri-branche - 2 tomates
Sel et poivre fraîchement moulu
2 cuil. à soupe de cognac
Beurre (40 g + 40 g)
1 cuil. à soupe de ciboulette
finement ciselée

Beurre pour graisser le plat
Pour la sauce :
4 cuil. à soupe de crème fraîche
4 cuil. à soupe de vin blanc sec
1 cuil. à soupe de parmesan râpé

Temps de préparation : 1 h.
Temps de cuisson : 15 à 20 mn.

1. Faites cuire les nouilles al dente dans de l'eau salée, puis rafraîchissez-les sous l'eau froide et égouttez-les sur une passoire.
2. Salez légèrement les filets de soles et enroulez-les sur eux-mêmes. Décortiquez les crevettes crues, ouvrez-les en deux dans le sens de la longueur, débarrassez-les des filaments noirs et lavez-les.
3. Épluchez les carottes et coupez-les, ainsi que le céleri, en minces bâtonnets. Ébouillantez rapidement les tomates, pelez-les et coupez-les en morceaux.
4. Faites fondre le beurre dans une grande poêle et faites-y revenir rapidement les filets de soles et les crevettes ; sortez-les immédiatement. Faites mijoter, à leur place, les bâtonnets de carottes et de céleri, ajoutez les morceaux de tomates, assaisonnez de sel, d'un peu de poivre et arrosez de cognac. Laissez mijoter le tout encore 1 à 2 mn.
5. Beurrez un plat à gratin, étalez les nouilles et recouvrez-les ensuite avec les filets de soles en rouleaux et les queues de crevettes. Répartissez les légumes sur le dessus du plat.
6. Préparez la sauce : mélangez la crème fraîche avec le vin et le fromage, versez sur le gratin et parsemez de flocons de beurre. Faites cuire comme dans la recette précédente. Parsemez la ciboulette.

Soufflé au fromage

Chez nous, le soufflé au fromage fait partie de la cuisine de tous les jours, et c'est tant mieux. D'une part parce que les ingrédients qu'il requiert sont tout à fait bon marché, d'autre part parce que, contrairement à ce que l'on pourrait croire, sa réalisation n'est pas particulièrement compliquée. Il faut simplement réserver les blancs d'œufs et suivre scrupuleusement les indications de la recette. Enfin et surtout, il faut servir le soufflé dès qu'il est prêt car, c'est bien connu, ce n'est pas au soufflé d'attendre l'invité, mais aux invités d'attendre le soufflé. La base d'un soufflé salé est le plus souvent une sauce (généralement une béchamel) contenant des ingrédients qui en révèlent la saveur (dans notre recette, c'est du fromage). Cette sauce est alors enrichie de jaunes d'œufs. Mais l'essentiel, pour un soufflé « aérien », ce sont les blancs d'œufs battus en neige ferme.

C'est ainsi que nous en arrivons à la phase essentielle de la réalisation du soufflé : l'incorporation des blancs en neige. La sauce de base doit être encore un peu chaude, pas trop cependant, et les blancs d'œufs doivent être incorporés immédiatement après avoir été battus en neige. Si vous les laissez reposer, ne serait-ce qu'une minute, ils commenceront à retomber et cela rendra plus difficile la suite de la préparation. L'incorporation des blancs en neige doit se faire avec rapidité et délicatesse, afin que les blancs d'œufs, et par là même l'appareil à soufflé, perdent le moins possible de leur volume.

Ensuite, il faut faire cuire immédiatement le soufflé, dans le four préchauffé, et le servir sitôt la cuisson achevée.

En sortant le moule, veillez à ne pas le cogner ni le poser sur la table avec rudesse, car le soufflé craint les chocs et les courants d'air.

Il faut, pour 4 personnes :
60 g de beurre
30 g de farine
1/4 l de lait
1/2 cuil. à café de sel
Un peu de poivre fraîchement moulu et de muscade fraîchement râpée
4 cuil. à soupe de crème fraîche
5 jaunes d'œufs
150 g de gouda vieux ou de gruyère râpé
5 blancs d'œufs
Beurre pour graisser le moule

Temps de préparation : 35 à 40 mn.
Temps de cuisson : 40 à 45 mn.

1. Préparez la sauce Béchamel : faites fondre le beurre dans une casserole, ajoutez la farine et, sur feu doux, mélangez bien 2 à 3 mn avec une spatule en bois. Versez alors le lait petit à petit et fouettez jusqu'à ce que la sauce soit parfaitement lisse. Salez, poivrez et muscadez. Portez la sauce à ébullition, puis laissez-la cuire 15 mn à tout petits bouillons. Tournez de temps à autre avec la spatule en bois pour que la sauce n'attache pas au fond de la casserole.

2. Ajoutez la crème fraîche. Enlevez la casserole du feu, puis, à l'aide du fouet, mêlez, un à un, les jaunes d'œufs à la sauce. Joignez le fromage râpé et mélangez bien le tout.

3. Battez les blancs d'œufs en neige bien ferme après avoir ajouté une pincée de sel, puis, avec la spatule en bois, mélangez-les à la sauce alors qu'elle est encore chaude. Soulevez la pâte en incorporant les blancs afin que ceux-ci ne retombent pas.

4. Versez l'appareil dans un moule à soufflé beurré d'une contenance de 1 l. Placez immédiatement au four préalablement chauffé à 180 ºC (grille à la glissière inférieure). Laissez cuire 20 mn, puis montez la température du four à 200 ºC et poursuivez la cuisson 20 à 25 mn. Le soufflé au fromage doit avoir une belle couleur dorée et être bien gonflé. Servez aussitôt.

Soufflé aux épinards

Photo ci-contre

Il faut, pour 4 personnes :
1 kg d'épinards frais
Sel
80 g d'oignons ou d'échalotes
30 g de beurre
1/2 gousse d'ail
Beurre pour graisser le moule
Pour l'appareil à soufflé :
40 g de beurre
30 g de farine
1/4 l de lait
2 cuil. à soupe de crème fraîche
4 jaunes d'œufs
1/2 cuil. à café de sel
Poivre fraîchement moulu
et muscade fraîchement râpée
50 g d'emmenthal râpé
4 blancs d'œufs

Temps de préparation : 50 à 60 mn.
Temps de cuisson : 35 à 40 mn.

1. Épluchez les épinards et retirez-en les tiges épaisses. Lavez les feuilles, faites-les blanchir dans de l'eau salée bouillante jusqu'à ce qu'elles deviennent tendres et sortez-les aussitôt. Faites-les bien égoutter dans une passoire en les pressant pour en extraire toute l'eau et hachez-les menu. Pelez les oignons ou les échalotes et hachez-les menu également.

2. Faites fondre le beurre dans une poêle et faites-y revenir le hachis d'oignons ou d'échalotes et la demi-gousse d'ail écrasée. Ajoutez les épinards bien égouttés (vous les aurez encore pressés entre vos mains) et faites revenir le tout pendant 2 mn ; retirez alors la poêle du feu.

3. Préparez la sauce Béchamel : faites fondre le beurre dans une casserole. Jetez-y la farine et laissez-la brunir 2 à 3 mn. Ajoutez le lait petit à petit et fouettez vigoureusement la sauce jusqu'à ce qu'elle devienne parfaitement lisse. Faites-la cuire à tout petits bouillons, sur feu très faible et en remuant, pendant 10 à 15 mn. Enlevez la sauce du feu et ajoutez-y la crème fraîche, puis les jaunes d'œufs, un à un en mélangeant bien. Salez, poivrez, muscadez et mettez le fromage râpé. Mélangez les épinards en soulevant la masse pour qu'elle soit bien homogène.

4. Battez les blancs d'œufs en neige ferme, après avoir ajouté une pincée de sel, et, avec une spatule en bois, incorporez-les délicatement à la masse d'épinards.

5. Versez ce mélange dans un moule à soufflé beurré d'une contenance de 1,5 l. Lissez bien le dessus. Faites cuire le soufflé 35 à 40 mn au four préchauffé à 190 °C (la grille doit se trouver à la glissière inférieure). Si vous utilisez des ramequins individuels (voir photo ci-contre), le temps de cuisson sera de 20 à 25 mn.

Soufflé aux brocolis

Il faut, pour 4 personnes :
500 g de brocolis
40 g d'échalotes
2 cuil. à soupe d'huile
1/4 l de bouillon de volaille
1/2 cuil. à café de sel
Poivre fraîchement moulu
Beurre pour graisser le moule
Pour l'appareil à soufflé :
30 g de beurre
25 g de farine
12,5 cl de lait
2 cuil. à soupe de crème
4 jaunes d'œufs
1/2 cuil. à café de sel
50 g d'emmenthal râpé
4 blancs d'œufs

Temps de préparation : 50 à 60 mn.
Temps de cuisson : 35 à 45 mn.

1. Lavez les brocolis et détaillez-les en petits bouquets ; utilisez également les tiges. Pelez les échalotes et coupez-les en dés.

2. Chauffez l'huile dans une casserole et faites-y revenir les dés d'échalotes. Ajoutez les bouquets de brocolis, mouillez avec le bouillon de volaille, salez, poivrez et faites cuire 10 à 15 mn sur feu moyen. Réduisez en purée la moitié des brocolis, réservez le reste.

3. Avec les ingrédients donnés, préparez une sauce Béchamel, comme il est indiqué dans la recette précédente. Ajoutez la purée de brocolis, incorporez les blancs en neige et versez environ le tiers de l'appareil à soufflé dans le moule beurré. Posez au-dessus les brocolis que vous avez réservés et recouvrez avec le reste de la masse mousseuse. Lissez bien la surface du soufflé, puis placez le plat au four préchauffé à 200 °C (grille à la glissière inférieure) et laissez cuire 35 à 45 mn. Servez immédiatement.

Soufflé aux foies de volaille

Photo ci-contre

Il faut, pour 4 personnes :
60 g d'oignons - 1/2 gousse d'ail
120 g de champignons frais
20 g de beurre
1/2 cuil. à café de sel
Poivre fraîchement moulu
Un peu de thym et de romarin séchés
1 cuil. à soupe de persil haché
200 g de foies de volaille
2 cuil. à soupe d'huile de tournesol
Beurre pour graisser le moule
Pour l'appareil à soufflé :
30 g de beurre
30 g de farine - 1/4 l de lait
1/4 cuil. à café de sel
4 jaunes + 4 blancs d'œufs

Temps de préparation : 1 h.
Temps de cuisson : 40 à 45 mn.

1. Pelez les oignons et hachez-les très finement, écrasez la demi-gousse d'ail. Nettoyez les champignons et émincez-les.
2. Faites chauffer le beurre dans une grande poêle et faites-y revenir les oignons hachés et l'ail écrasé jusqu'à ce qu'ils deviennent translucides. Ajoutez les champignons et laissez étuver le tout pendant environ 2 mn. Relevez avec du sel, un peu de poivre, du thym, du romarin et du persil. Retirez la poêle du feu et laissez refroidir. Versez le contenu de la poêle dans un grand bol.
3. Nettoyez les foies de volaille en éliminant tous les déchets, passez-les sous l'eau froide, séchez-les. Coupez-les en dés. Chauffez très vivement l'huile dans la poêle et, en

remuant, faites-y dorer légèrement les dés de foies. Mélangez-les immédiatement aux champignons.
4. Préparez une sauce Béchamel : faites fondre le beurre dans une casserole. Ajoutez la farine et laissez-la blondir. Versez le lait en une seule fois et fouettez énergiquement jusqu'à ce que vous obteniez une sauce lisse et crémeuse. Au premier bouillon, salez et enlevez du feu. Laissez refroidir un peu, puis ajoutez les jaunes d'œufs un à un. Versez la sauce dans une jatte et ajoutez-y la préparation aux foies.
5. Battez les blancs d'œufs en neige ferme après avoir ajouté une pincée de sel. Mélangez le tiers des blancs en neige à la masse aux foies, puis ajoutez délicatement le reste, en soulevant l'appareil pour qu'il ne retombe pas.
6. Beurrez un moule à soufflé d'une contenance de 1,5 l et remplissez-le avec le mélange que vous venez d'obtenir. Placez immédiatement au four préchauffé à 180 ºC (grille à la glissière inférieure) et laissez cuire environ 15 mn. Au bout de ce temps, montez la température du four à 200-210 ºC et poursuivez la cuisson pendant 25 à 30 mn.

Soufflé au saumon

Il faut, pour 4 personnes :
50 g d'échalotes
40 g de carottes
40 g de céleri-branche
30 g de beurre
2 cuil. à soupe de cognac
1/4 cuil. à café de sel
2 cuil. à café de persil haché
Poivre fraîchement moulu
Un peu de zeste de citron râpé
(citron non traité)
180 g de saumon fumé en tranches
Beurre pour graisser le moule
Pour l'appareil à soufflé :
20 g de beurre
30 g de farine
1/4 l de lait
1/2 cuil. à café de sel
4 jaunes d'œufs
40 g de parmesan râpé
5 blancs d'œufs

Temps de préparation : 1 h.
Temps de cuisson : 35 à 50 mn.

1. Épluchez les échalotes, les carottes et le céleri, et coupez-les en très petits dés.
2. Faites fondre le beurre dans une grande poêle et faites-y blondir les échalotes pendant environ 2 mn. Ajoutez les dés de carottes et de céleri et laissez étuver le tout 2 à 3 mn. Mouillez avec le cognac et relevez avec le sel, le persil, le poivre et le zeste de citron. Laissez refroidir.
3. Coupez le saumon en carrés d'environ 1/2 cm de côté et mélangez-les aux légumes refroidis.
4. Préparez une sauce Béchamel comme il est décrit dans la recette précédente. Ajoutez-y les jaunes d'œufs ainsi que le fromage râpé. Incorporez alors les blancs d'œufs battus en neige à la sauce.
5. Graissez abondamment un moule à soufflé et versez-y l'appareil ; faites cuire comme dans la recette précédente. Au bout de 15 à 20 mn, cependant, montez la température du four à 200 ºC et laissez la cuisson du soufflé se poursuivre pendant 20 à 30 mn.

Soufflés salés

Soufflé aux crevettes

Photo ci-contre

Il faut, pour 4 personnes
(ou pour 6 à 8 personnes,
s'il s'agit d'une entrée) :
120 g de champignons frais
30 g de beurre
1 cuil. à soupe d'oignon
finement haché
200 g de petites crevettes
cuites et décortiquées
4 jaunes d'œufs
150 g de gouda mi-vieux râpé
1 cuil. à soupe de persil haché
1 cuil. à café d'aneth haché
4 blancs d'œufs
Beurre pour graisser le moule
Pour la sauce :
40 g de beurre
30 g de farine
1/4 l de lait
1/2 cuil. à café de sel
Poivre fraîchement moulu

Temps de préparation : 1 h.
Temps de cuisson : 40 à 45 mn.

1. Préparez une sauce Béchamel : faites fondre le beurre dans une casserole, versez la farine en pluie et battez avec le fouet, sur feu doux, pendant 2 à 3 mn. Ajoutez le lait et continuez à fouetter jusqu'à obtention d'une sauce lisse. Après le premier bouillon, salez et poivrez légèrement, puis retirez la casserole du feu.
2. Préparez le mélange aux crevettes : pelez les champignons et coupez-les en lamelles. Faites fondre le beurre dans une grande poêle et faites-y revenir l'oignon haché

menu. Joignez les champignons et laissez mijoter 1 à 2 mn. Otez la poêle du feu, puis mettez-y les crevettes.
3. Mélangez les jaunes d'œufs à la sauce Béchamel chaude, puis incorporez le fromage râpé. Ajoutez le persil et l'aneth, puis le mélange champignons-crevettes.
4. Battez les blancs d'œufs en neige ferme, après avoir ajouté une pincée de sel, et incorporez-les doucement à la préparation en soulevant celle-ci pour que les blancs ne retombent pas. Beurrez un moule à soufflé d'une contenance de 1,5 l (ou deux moules de 3/4 l chacun), garnissez-le de l'appareil, puis mettez-le au four préalablement chauffé à 180 ºC (grille placée à la glissière inférieure). Au bout de 20 mn, montez la température du four à 200 ºC. Laissez cuire le soufflé encore 20 à 25 mn pour qu'il soit bien gonflé et bien doré. Servez aussitôt.

Soufflé au jambon

Il faut, pour 4 personnes
(ou 6 à 8 personnes,
s'il s'agit d'une entrée) :
4 jaunes d'œufs
100 g de jambon cuit
80 g de lard maigre fumé
30 g de beurre
1 cuil. à soupe d'oignon haché
1/2 gousse d'ail
40 g d'emmenthal râpé
5 blancs d'œufs
Beurre pour graisser le moule
Pour la sauce :
30 g de beurre

30 g de farine
1/4 l de lait
1/2 cuil. à café de sel
Poivre fraîchement moulu

Temps de préparation : 40 à 50 mn.
Temps de cuisson : 35 à 40 mn.

1. Avec les ingrédients donnés, préparez une sauce Béchamel comme il est indiqué dans la recette précédente, assaisonnez-la et ajoutez-y un à un les jaunes d'œufs.
2. Détaillez le jambon et le lard en petits dés.
3. Faites fondre le beurre dans une grande poêle et faites-y revenir l'oignon et l'ail hachés jusqu'à ce qu'ils deviennent translucides. Ajoutez les dés de jambon et de lard, laissez étuver le tout pendant 1 à 2 mn. Faites refroidir un peu le mélange, puis ajoutez-le, ainsi que le fromage, à la sauce Béchamel.
4. Battez les blancs d'œufs en neige ferme après avoir ajouté une pincée de sel et incorporez-les délicatement à la préparation. Versez le mélange dans un moule à soufflé beurré et faites cuire comme indiqué dans la recette précédente.

Soufflés salés

Soufflés à la cervelle

Photo ci-contre

Il faut, pour 6 à 8 personnes
(pour une entrée) :
400 g de cervelle de veau
1/4 l de bouillon de volaille épicé
80 g d'échalotes
120 g de champignons frais
30 g de beurre
Sel et poivre fraîchement moulu
1 cuil. à soupe de persil haché
2 cl de cognac
1 cl de vermouth sec
Beurre pour graisser les ramequins
Pour l'appareil à soufflé :
30 g de beurre
30 g de farine
1/4 l de lait
1/2 cuil. à café de sel
Poivre fraîchement moulu
40 g de parmesan râpé
4 jaunes d'œufs
5 blancs d'œufs

Temps de préparation : 50 à 60 mn.
Temps de cuisson : 25 à 35 mn.

1. Lavez la cervelle de veau sous l'eau courante froide pendant une dizaine de minutes, puis débarrassez-la des peaux et des déchets et coupez-la en petits cubes.
2. Faites réduire le bouillon de volaille jusqu'à ce qu'il n'en reste plus que le tiers environ.
3. Pelez les échalotes et coupez-les en petits dés. Nettoyez les champignons, coupez-les en tranches puis hachez-les.
4. Faites fondre le beurre dans une poêle et mettez-y à revenir les dés d'échalotes. Ajoutez les champignons hachés et laissez étuver le tout pendant 2 à 3 mn. Mettez alors les petits cubes de cervelle. Arrosez avec le bouillon de volaille réduit et laissez étuver le tout, à découvert, pendant encore 3 à 4 mn ; le liquide devrait largement s'évaporer. Assaisonnez de sel et de poivre (facultatif). Ajoutez le persil, le cognac et le vermouth. Laissez étuver 1 à 2 mn supplémentaires.
5. Beurrez six à huit ramequins et répartissez-y la moitié de la préparation à la cervelle.
6. Préparez l'appareil à soufflé : faites fondre le beurre dans une casserole et faites-y blondir la farine. Versez le lait en une seule fois et battez vigoureusement avec un fouet jusqu'à obtention d'une sauce crémeuse. Laissez bouillir 2 à 3 mn, en remuant continuellement. Assaisonnez de sel, de poivre, ajoutez le fromage et mélangez bien le tout. Laissez ainsi la préparation refroidir. Ajoutez alors les jaunes d'œufs un à un. Versez la sauce dans un grand récipient et mélangez avec le reste de cervelle.
7. Battez les blancs d'œufs en neige ferme après avoir ajouté une pincée de sel. Incorporez d'abord le tiers des blancs en neige au mélange obtenu précédemment, puis le reste, en soulevant l'appareil pour qu'il ne retombe pas. Versez dans les ramequins et lissez bien la surface des soufflés. Mettez, sur la grille placée à la glissière inférieure, dans le four préchauffé à 180 °C. Au bout de 10 à 15 mn, montez la température du four à 200 °C et laissez cuire les soufflés encore 15 à 20 mn (maximum).

Soufflés à la truite

Il faut, pour 6 à 8 personnes
(pour une entrée) :
40 g d'oignon ou d'échalotes
40 g de carottes
20 g de beurre
250 g de filets de truites fumés
1 cuil. à soupe de persil haché
Sel et poivre
Beurre pour graisser les ramequins
Pour l'appareil à soufflé :
Mêmes ingrédients que pour
le soufflé à la cervelle

Temps de préparation : 50 mn.
Temps de cuisson : 25 à 35 mn.

1. Pelez l'oignon ou les échalotes et coupez-les en dés. Épluchez les carottes et coupez-les en dés également.
2. Faites fondre le beurre dans une poêle et faites-y revenir les dés d'oignon ou d'échalotes. Ajoutez les dés de carottes et laissez étuver 2 à 3 mn.
3. Émiettez les filets de truites ou coupez-les en dés, mettez-les dans la poêle, faites-les sauter rapidement et retirez-les immédiatement du feu. Ajoutez le persil, du sel et du poivre.
4. Beurrez des petits ramequins et répartissez-y la moitié de la préparation au poisson.
5. Préparez l'appareil à soufflé comme dans la recette précédente et mélangez, en soulevant, avec le reste de la farce au poisson. Versez dans les ramequins, lissez le dessus des soufflés et faites-les cuire comme les soufflés à la cervelle.

Soufflés sucrés

Soufflé à l'orange

Les soufflés sucrés se préparent de la même façon que les soufflés salés. La base en est la même : une sauce Béchamel mélangée avec des jaunes d'œufs et allégée par des blancs en neige. Les photos ci-contre vous montrent, cependant, une autre méthode de préparation de la Béchamel. Ici, en effet, on procède de manière inverse : ce n'est pas le lait qui est versé dans le mélange beurre-farine, mais le beurre pétri avec la farine qui est mélangé au lait chaud. La suite de la préparation de ce soufflé est alors pratiquement identique à celle des recettes précédentes.

Il faut, pour 6 à 8 personnes :
2 oranges non traitées
30 g de sucre en morceaux
60 g de beurre mou
50 g de farine
1/2 gousse de vanille
1/4 l de lait
4 cl de liqueur d'orange
4 jaunes d'œufs
5 blancs d'œufs
60 g de sucre en poudre
Beurre mou et sucre
(pour le moule)
Sucre glace

Temps de préparation : 50 mn environ.
Temps de cuisson : 40 mn environ.

Brossez vigoureusement les oranges sous l'eau courante chaude et essuyez-les. Frottez légèrement l'écorce avec le sucre en morceaux, puis mettez les morceaux de sucre dans une casserole. Pressez le jus des oranges, ajoutez-le au sucre et amenez le tout à ébullition. Faites réduire le liquide de moitié environ, retirez du feu et laissez refroidir.

A l'aide d'une fourchette, malaxez le beurre mou avec la farine, formez un petit rouleau et, après l'avoir enveloppé dans du papier sulfurisé, placez-le au réfrigérateur pour le faire durcir.

Photo n° 1 : Retirez, en grattant l'intérieur avec un couteau pointu, la pulpe de la demi-gousse de vanille, mettez-la dans le lait et faites bouillir le tout. Coupez le rouleau formé à partir du mélange beurre-farine en rondelles et mêlez-les une à une avec le lait.

Photo n° 2 : Continuez de fouetter jusqu'à ce que la farine ait presque complètement absorbé le liquide et que la préparation soit devenue bien lisse. Ajoutez alors le jus d'orange réduit et la liqueur d'orange. Laissez refroidir.

Photo n° 3 : Incorporez un à un les jaunes d'œufs à la masse refroidie. Dans un autre récipient, battez les blancs d'œufs, auxquels vous aurez ajouté la totalité du sucre, en neige ferme. Par cette méthode, vous obtiendrez un volume moindre, mais les blancs en neige seront plus fermes.

Photo n° 4 : Versez l'appareil à soufflé dans une jatte, incorporez-y d'abord le tiers des blancs en neige, puis le reste, en soulevant délicatement afin que l'appareil perde le moins possible de son volume.

Photo n° 5 : Avec le beurre mou, graissez un moule d'une contenance de 1,5 l et saupoudrez-le de sucre. Versez-y l'appareil à soufflé, lissez la surface et placez immédiatement le moule au four préchauffé à 180 °C (grille à la glissière inférieure). Laissez cuire le soufflé pendant environ 40 mn pour qu'il soit bien gonflé et bien doré.

Photo n° 6 : Sortez le soufflé à l'orange du four et saupoudrez-le de sucre glace. Servez aussitôt.

Soufflés sucrés

Soufflé à la vanille et aux fruits

Photo ci-contre

Il faut, pour 4 personnes :
2 oranges
2 kiwis
100 g de compote d'airelles
3 cl de rhum
Beurre et sucre (pour le moule)
Sucre glace
Pour l'appareil à soufflé :
50 g de beurre mou
50 g de farine
1/4 l de lait
1/2 gousse de vanille
1 pointe de sel
4 jaunes d'œufs
5 blancs d'œufs
70 g de sucre en poudre

Temps de préparation : 50 mn.
Temps de cuisson : 45 à 50 mn.

1. Beurrez un moule à soufflé d'une contenance de 1,5 l et saupoudrez-le de sucre. Pelez les oranges à vif et coupez-les en quartiers. Pelez également les kiwis et détaillez-les en fines rondelles. Placez les quartiers d'oranges sur le bord du moule et tapissez le fond de rondelles de kiwis et de compote d'airelles. Versez le rhum sur les fruits.
2. Pétrissez le beurre mou avec la farine, formez un rouleau et mettez-le au réfrigérateur pour le faire durcir.
3. Faites bouillir le lait avec la gousse de vanille fendue en deux et le sel. Retirez la gousse de vanille, extrayez-en la pulpe et mettez celle-ci dans le lait. Coupez le rouleau de beurre et de farine en rondelles, et mélangez-les, une à une, avec le lait jusqu'à ce que le liquide soit complètement absorbé. Retirez la préparation du feu et versez-la dans un grand récipient. Ajoutez, un à un, les jaunes d'œufs et fouettez bien le tout.
4. Battez les blancs d'œufs en neige ferme et versez le sucre en pluie. Mélangez d'abord le tiers des blancs en neige à la préparation de base, puis le reste, en soulevant délicatement afin que l'appareil perde le moins possible de volume.
5. Remplissez alors le moule avec cet appareil et faites cuire 20 mn environ au four préalablement chauffé à 180 °C (la grille doit être placée à la glissière inférieure). Puis montez la température du four à 200 °C (seulement si cela se révèle nécessaire) et poursuivez la cuisson 25 à 30 mn. Si la surface brunit trop, placez une plaque à pâtisserie à la glissière supérieure du four pour stopper un peu la chaleur. Saupoudrez le soufflé de sucre glace et servez immédiatement, accompagné d'une sauce au chocolat.

Sauce au chocolat

Il faut, pour 4 personnes :
1/4 l de crème fraîche
30 g de miel
1/2 gousse de vanille
200 g de chocolat amer

Temps de préparation : 15 mn.

1. Portez à ébullition la crème fraîche avec le miel et la gousse de vanille fendue en deux. Retirez la gousse de vanille, extrayez-en la pulpe et placez celle-ci dans le mélange crème-miel.
2. Faites fondre le chocolat au bain-marie et, en battant avec le fouet, incorporez-y peu à peu la crème chaude. Mélangez bien et laissez tiédir.

Soufflé aux noisettes

Il faut, pour 4 personnes :
50 g de beurre
50 g de farine
1/4 l de lait
1 pointe de cannelle en poudre
4 jaunes d'œufs
80 g de noisettes grillées et râpées
4 blancs d'œufs
70 g de sucre en poudre
Beurre et noisettes grillées et râpées (pour le moule)
Cacao en poudre

Temps de préparation : 50 mn.
Temps de cuisson : 45 à 50 mn.

Préparez ce soufflé de la même façon que le soufflé à la vanille et aux fruits. Après avoir mélangé les jaunes d'œufs à la préparation de base, ajoutez les noisettes, puis les blancs battus en neige. Faites cuire le soufflé au four préchauffé à 180 °C (grille à la glissière inférieure) pendant environ 20 mn. Puis montez la température du four à 200 °C et achevez la cuisson du soufflé en 25 à 30 mn. Saupoudrez de cacao et servez immédiatement.

Clafoutis aux quetsches

Photo ci-contre, au premier plan

Ce gratin aux fruits est une spécialité du pays limousin.

Il faut, pour 6 à 8 personnes :
500 g de quetsches dénoyautées
Sucre en poudre (30 g + 80 g)
4 cl d'eau-de-vie de prune
Beurre et sucre en poudre
pour le moule
Pour la pâte :
4 œufs
80 g de sucre
1 pointe de sel
1/2 gousse de vanille
120 g de farine
1/4 l de lait

Temps de préparation : 30 mn environ (+ 1 h de macération).
Temps de cuisson : 40 à 45 mn.

1. Mettez les prunes dénoyautées dans un plat, saupoudrez-les de sucre (30 g) et arrosez-les d'eau-de-vie. Couvrez et laissez macérer 1 h environ.

2. Battez les œufs avec 80 g de sucre, jusqu'à ce que vous obteniez une pommade mousseuse. Pour cela, utilisez de préférence un batteur électrique. Lorsque la préparation est devenue presque blanche et bien mousseuse, ajoutez le sel et la pulpe de la gousse de vanille que vous aurez ôtée en la raclant. Joignez la farine tamisée et le lait. Mélangez bien le tout au fouet.

3. Beurrez un moule à gratin de bonne dimension et versez-y environ le tiers de l'appareil. Répartissez au-dessus les prunes et le jus obtenu. Couvrez avec le reste de la préparation et laissez s'imbiber.

4. Préchauffez le four à 180 ºC et faites-y cuire le clafoutis, sur la grille placée à la glissière inférieure, pendant 40 à 45 mn, pour qu'il dore bien. Vérifiez comme pour un biscuit, avec un bâtonnet de bois, si la pâte est vraiment cuite. Enlevez le gâteau du four, saupoudrez-le de sucre et servez aussitôt.

Clafoutis aux poires

Photo ci-contre, à l'arrière-plan

Il faut, pour 6 à 8 personnes :
1 kg de poires
1/2 l d'eau
150 g de sucre en poudre
1 bâton de cannelle
2 clous de girofle
2 cuil. à soupe de jus de citron
Beurre pour graisser le moule
200 g de compote d'airelles
Sucre glace
Pour la pâte :
4 jaunes d'œufs
80 g de sucre en poudre
Le zeste râpé
de 1/2 citron (non traité)
1 pointe de sel
12,5 cl de lait
4 blancs d'œufs
100 g de farine

Temps de préparation : 40 à 50 mn.
Temps de cuisson : 35 à 40 mn.

1. Épluchez les poires, coupez-les en deux, enlevez le trognon et placez les moitiés de poires dans une grande casserole. Recouvrez-les d'eau, ajoutez le sucre (150 g), le bâton de cannelle, les clous de girofle et le jus de citron. Laissez étuver 4 à 5 mn sur feu doux. Retirez les poires et laissez-les égoutter. Faites réduire le liquide jusqu'à obtention d'un sirop épais.

2. Mêlez les jaunes d'œufs avec la moitié du sucre, le zeste de citron et le sel. Lorsque le mélange est devenu mousseux, ajoutez le lait.

3. Battez les blancs d'œufs en neige ferme et versez les 80 g de sucre en pluie. Incorporez délicatement les blancs en neige à la masse obtenue précédemment et ajoutez enfin la farine.

4. Beurrez un plat à gratin, mettez-y les poires (partie coupée tournée vers le haut) et remplissez-les avec la compote d'airelles. Versez le jus de poires épaissi au-dessus et recouvrez le tout de l'appareil à clafoutis. Faites cuire pendant 40 mn sur la grille placée à la glissière inférieure, au four préchauffé à 190 ºC environ. Saupoudrez de sucre glace et servez immédiatement.

Soufflé aux fruits confits

(soufflé Rothschild)

Il faut, pour 6 à 8 personnes :

150 g de fruits confits
1 dl d'eau-de-vie ou de liqueur
200 g de sucre semoule
6 œufs
75 g de farine
1/2 l de lait
1 pincée de sel
20 g de beurre
Sucre glace

Temps de préparation : 30 mn (+ 40 mn de macération).
Temps de cuisson : 30 à 35 mn.

1. Coupez les fruits confits en très petits dés, faites-les macérer dans l'eau-de-vie ou la liqueur (ou encore moitié de chaque) pendant 1 h.
2. Après 40 mn de macération, préparez le soufflé : prenez quatre œufs et séparez les blancs des jaunes en les plaçant chacun dans deux grandes terrines. A la terrine contenant les jaunes, ajoutez le sucre semoule et battez vigoureusement jusqu'à ce que le mélange blanchisse. Portez le lait à ébullition dans une grande casserole, en prenant soin qu'il ne déborde pas. Au mélange sucre-jaunes d'œufs, ajoutez la farine en mince filet et battez toujours jusqu'à ce que la préparation soit bien homogène ; versez alors le lait bien chaud et remuez le tout. Reversez le mélange dans la casserole et, sans cesser de remuer, amenez à lente ébullition. Laissez cuire pendant 1 à 2 mn puis éteignez le feu.

3. Cassez les deux derniers œufs en mettant les jaunes dans la crème que vous venez de préparer et les blancs dans la terrine contenant les autres blancs. Remuez de nouveau la crème pour que les jaunes se mélangent bien et ajoutez les fruits confits et le liquide de macération.
4. Battez les blancs en neige très ferme (ajoutez-y une pincée de sel) et incorporez-les délicatement à la crème, noisette par noisette.
5. Allumez le four thermostat 6. Beurrez des moules à soufflés (deux) ou des ramequins individuels (huit). Répartissez-y le mélange en soulevant la mousse pour qu'elle ne retombe pas et placez-les au four. Faites cuire pendant 25 mn, puis saupoudrez de sucre glace, augmentez le thermostat (7), et laissez dorer pendant 5 à 10 mn.
6. Servez les soufflés dès que vous les aurez sortis du four.

Soufflé au riz et aux griottes

Photo ci-contre

Il faut, pour 4 personnes :

1 l de lait
1 pincée de sel
1 gousse de vanille
Le zeste râpé de 1/2 citron
125 g de riz rond
4 œufs
50 g de beurre mou
70 g de sucre
500 g de pommes
100 g de confiture de griottes
20 g de beurre

Temps de préparation : 30 mn.
Temps de cuisson : 45 à 50 mn.

1. Portez le lait à ébullition dans une grande casserole, jetez-y le sel, la gousse de vanille fendue en deux et le zeste du demi-citron. Versez le riz en pluie après l'avoir bien lavé à plusieurs eaux puis laissez-le cuire à gros bouillons pendant 20 mn. Retirez la gousse de vanille, le zeste de citron et laissez refroidir quelques minutes (s'il reste trop de liquide, jetez le riz dans une passoire pour l'égoutter).
2. Prenez les œufs et mettez les jaunes les uns après les autres dans la casserole contenant le riz ; placez les blancs dans une terrine. Remuez bien le riz et les jaunes d'œufs et laissez complètement refroidir dans un endroit frais.
3. Mélangez à la spatule en bois le beurre et la moitié du sucre. Lorsque la pâte devient crémeuse, étalez-la sur le fond et le pourtour d'un moule à soufflé beurré.
4. Pelez les pommes, ôtez-en les pépins et les parties dures, et coupez-les en lamelles ; étalez-les sur le fond et sur les parois du moule en les faisant se chevaucher. Répartissez la confiture de griottes sur les lamelles de pommes.
5. Faites chauffer le four thermostat 6. Montez les blancs d'œufs en neige bien ferme et ajoutez le reste du sucre en pluie sur la neige. Incorporez cette préparation, cuillerée par cuillerée, au riz refroidi, en soulevant toujours la masse pour que les blancs ne retombent pas. Versez le tout dans le moule à soufflé sur les pommes et la confiture, lissez le dessus et enfournez pour 45 à 50 mn. Retirez du four et servez chaud ou froid. Accompagnez ce riz de coulis d'abricots ou de fruits de la passion.

Soufflé au fromage blanc et aux pommes

Photo ci-contre

Il faut, pour 4 à 6 personnes :
80 g de raisins secs
2 cl de rhum brun
6 à 8 pommes (Boskoop),
800 g environ
100 g d'amandes en poudre
Amandes effilées
Sucre en poudre
Beurre mou et sucre (pour le plat)
Pour la crème au fromage blanc :
1 citron non traité
4 jaunes d'œufs
120 g de beurre
1/4 cuil. à café de sel
500 g de fromage blanc bien égoutté
20 g de farine
30 g de fécule
4 blancs d'œufs
100 g de sucre

Temps de préparation : 30 à 40 mn.
Temps de cuisson : 35 à 40 mn.

1. Faites tremper les raisins dans le rhum. Épluchez les pommes, partagez-les en deux, ôtez le trognon et les pépins en creusant légèrement les moitiés de pommes. Réduisez en purée les raisins trempés avec le rhum (avec un mixer, par exemple) et mélangez la purée obtenue avec les amandes en poudre. Garnissez les moitiés de pommes de ce mélange.
2. Beurrez un plat à gratin avec le beurre mou et saupoudrez-le de sucre. Rangez-y les moitiés de pommes, côté garniture tourné vers le bas.
3. Râpez finement le zeste de citron et pressez-en le jus. Mélangez les jaunes d'œufs avec le beurre, le jus et le zeste de citron, le sel, le fromage blanc, la farine et la fécule, jusqu'à ce que vous obteniez une pâte bien lisse.
4. Battez les blancs d'œufs avec le sucre en neige ferme et incorporez-les à la préparation au fromage blanc. Répartissez uniformément le mélange sur les pommes, lissez bien et parsemez d'amandes effilées.
5. Placez au four préchauffé à 200 °C (grille à la glissière inférieure) et faites cuire 35 à 40 mn. Veillez à ce que la surface ne brunisse pas trop vite. Si cela est nécessaire, recouvrez de papier d'aluminium ou de papier sulfurisé pendant les dix dernières minutes. Servez avec une sauce à la framboise.

Sauce à la framboise

Il faut, pour 4 à 6 personnes :
750 g de framboises
1 orange non traitée
100 g de sucre en poudre
12,5 cl de vin rouge

Temps de préparation : 25 mn.

1. Triez les framboises, nettoyez-les en essayant, dans la mesure du possible, de ne pas les laver. Râpez finement l'orange de manière à en récupérer le zeste le plus fin possible. Réservez-le dans un bol.
2. Faites un sirop avec le sucre sur feu moyen : mettez le sucre dans une casserole, ajoutez 2 cuillerées à soupe d'eau, mélangez bien et portez à ébullition. Dès qu'il est liquide, ajoutez 250 g de framboises, mélangez le tout et portez de nouveau à ébullition.
3. A ce moment, passez la préparation de framboises au tamis, récupérez-en le coulis, puis ajoutez-y le zeste d'orange et le vin rouge, et faites réduire pendant 4 à 5 mn.
4. Ajoutez le reste des framboises à la sauce et laissez refroidir. Servez en accompagnement du soufflé au fromage blanc.

Gâteau de semoule soufflé aux prunes

Un gâteau comme celui-ci, qui fait véritablement partie de ce que l'on pourrait appeler la bonne cuisine de nos grand-mères, est davantage un plat à servir en goûter pour les enfants qu'au dessert, même si cela est toujours possible. Dans ce cas, il suffit de diviser par deux la proportion des ingrédients de la recette et d'utiliser un plat plus petit ou des ramequins.

Le gâteau soufflé à la semoule que nous vous proposons est vraiment léger et aérien. C'est la raison pour laquelle il retombe facilement s'il est placé en courants d'air ou s'il n'est pas servi immédiatement. Si vous voulez rendre la masse de semoule plus stable et par là même moins délicate, ne battez que deux blancs en neige et mélangez les trois autres blancs avec les jaunes d'œufs à la préparation de semoule.

Il faut, pour 4 personnes :
600 g de prunes mûres
80 g de pâte d'amandes
1 pointe de cannelle en poudre
50 g de miel
1/2 l de lait
30 g de sucre
1/4 cuil. à café de sel
Le zeste râpé de 1/2 citron
(non traité)
La pulpe de 1/2 gousse de vanille
100 g de semoule de blé
30 g de beurre
5 jaunes d'œufs

5 blancs d'œufs
50 g de sucre
Beurre, chapelure
et sucre en poudre (pour le plat)

Temps de préparation : 40 mn environ (+ 2 à 3 h de macération).
Temps de cuisson : 35 à 40 mn.

1. Lavez les prunes, essuyez-les, coupez-les en deux et dénoyautez-les. Mettez les moitiés de fruits dans un plat. Coupez la pâte d'amandes en petits dés et mêlez-les à la cannelle et au miel. Répartissez ce mélange sur les prunes et laissez macérer pendant 2 à 3 h.
2. Amenez à ébullition le lait avec le sucre, le sel, le zeste de citron et la pulpe de vanille. Ajoutez peu à peu la semoule en pluie, en mélangeant avec une spatule en bois ; laissez gonfler environ 5 mn sur feu très doux. Retirez alors la casserole du feu. Ajoutez le beurre, puis les jaunes d'œufs un à un, mélangez toujours pour que tous les ingrédients forment une crème bien homogène.
3. Battez les blancs d'œufs en neige ferme. Versez en pluie, petit à petit, 50 g de sucre et continuez de battre jusqu'à ce que les blancs soient suffisamment fermes pour être « coupés » avec une cuillère. Mélangez-les à la bouillie de semoule chaude à l'aide d'une cuillère en bois.
4. Beurrez un grand plat rectangulaire et saupoudrez-le de chapelure. Mettez-y une couche de crème à la semoule de 1 cm d'épaisseur. Répartissez les prunes avec la sauce au miel au-dessus. Couvrez avec le reste de la préparation à la semoule et lissez la surface avec le dos d'une

cuillère à soupe. Faites cuire le gâteau 35 à 40 mn dans le four préchauffé à 200 °C (grille à la glissière inférieure), pour qu'il en ressorte bien doré. Saupoudrez de sucre et servez aussitôt.

Variante : Gâteau de semoule soufflé aux cerises

1. Faites bouillir 12,5 cl de vin rouge avec 50 g de sucre, 1/2 bâtonnet de cannelle et 1 clou de girofle.
2. Dénoyautez 500 g de griottes bien mûres, mettez-les dans un récipient, arrosez-les avec le mélange au vin rouge et laissez macérer 1 à 2 h.
Préparez ce gâteau soufflé en suivant les indications de la recette précédente.

Soufflé aux framboises

Il faut, pour 6 personnes :
800 g de framboises
300 g de sucre en poudre
8 blancs d'œufs
1 pincée de sel
2 jaunes d'œufs
1 petit verre de liqueur
ou d'eau-de-vie de framboise
1 noix de beurre mou
Sucre semoule

Temps de préparation : 20 mn.
Temps de cuisson : 12 mn (ramequins) ou 20 mn (moule).

1. Triez les framboises et gardez les plus belles pour la décoration (environ la valeur de 4 cuillerées à soupe). Au besoin, lavez-les et équeutez-les.
2. Passez les framboises au mixer pour obtenir une purée bien lisse, puis filtrez au chinois ou dans une passoire à petits trous. Ajoutez le sucre en poudre, puis placez dans une casserole sur feu doux. Faites cuire en remuant souvent jusqu'à ce que le sirop épaississe légèrement (environ 5 à 6 mn). Hors du feu, ajoutez les jaunes d'œufs et remuez bien.
3. Montez les blancs d'œufs en neige bien ferme, pour cela, ajoutez une pincée de sel. Incorporez la liqueur ou l'eau-de-vie de framboises, puis le sirop que vous venez de préparer, en le faisant couler lentement sur la neige. Soulevez doucement pour bien mélanger la préparation sans que les blancs retombent.

4. Préchauffez le four thermostat 6. Beurrez un moule à soufflé (ou des ramequins individuels), saupoudrez-le légèrement de sucre semoule et versez-y la préparation aux framboises. Glissez le moule à soufflé ou les ramequins dans le four et laissez cuire environ 12 mn si ce sont des ramequins, 20 mn si c'est un moule à soufflé, le dessus doit être juste moelleux et très légèrement recouvert d'une croûte fine.
5. Au moment de servir, décorez avec les framboises que vous aurez réservées et portez à table aussitôt, car n'oubliez pas qu'un soufflé n'attend pas !

Soufflé glacé à l'ananas

Photo ci-contre

Il faut, pour 8 personnes :
1 bel ananas mûr
100 g de sucre en poudre
(et 1 sachet de sucre vanillé)
10 jaunes d'œufs
125 g de crème liquide (1 petit pot)
50 g de sucre glace
1 petit verre de liqueur d'abricot
ou de Cointreau

Temps de préparation : 20 mn.
Temps de réfrigération : 3 h à 4 h au congélateur, 12 h au réfrigérateur.

1. Épluchez l'ananas et coupez-le en deux ; ôtez la partie dure et passez la pulpe coupée en morceaux au mixer pendant 2 à 3 mn ; ajoutez le sucre, mixer quelques instants encore, puis versez ce coulis dans une casserole.

2. Faites chauffer sur feu doux. Pendant ce temps, battez la crème fraîche en chantilly, ajoutez le sucre glace, soulevez la masse pour bien mélanger le tout.
3. Battez les jaunes d'œufs au fouet jusqu'à ce qu'ils blanchissent légèrement, puis versez-les dans le coulis tiède, ajoutez la liqueur ou le Cointreau. Mélangez bien et, hors du feu, ajoutez la crème Chantilly par petites cuillerées. Incorporez soigneusement et placez la mousse au frais.
4. Découpez une bande de papier d'aluminium de sorte qu'elle dépasse de 4 à 5 cm la hauteur du moule que vous allez utiliser. Tapissez les parois du moule avec la feuille d'aluminium et laissez dépasser le bord. Versez la mousse dans le moule et placez-la au congélateur pendant 3 à 4 h, ou au réfrigérateur pendant 12 h.
5. Au moment de servir, décollez doucement la bande de papier visible (au besoin, découpez-la au cutter), celle qui se trouve à l'intérieur du moule devra être soigneusement éliminée lors du service. Pour cela, il faudra utiliser un couteau à lame pointue afin de « désolidariser » le soufflé et le papier d'aluminium. Plantez le couteau entre le soufflé et le papier, et décollez doucement en faisant glisser la lame tout autour du soufflé. Il ne reste plus qu'à découper les parts.

Gratins de pommes à la normande

Photo ci-contre

Il faut, pour 4 personnes :
600 g de pommes
(reinettes du Mans de préférence)
30 g de sucre
2 cl de calvados
Beurre (pour les ramequins)
12,5 cl de lait
1 cuil. à soupe de sucre
1/3 de gousse de vanille
2 jaunes d'œufs
1 blanc d'œuf
Sucre en poudre
Pour la garniture :
1/4 l de crème fraîche
1 cuil. à soupe de sucre glace

Temps de préparation : 30 à 40 mn (+ 1 h environ de macération).

Temps de cuisson : 20 mn environ.

1. Épluchez les pommes, évidez-les et coupez-les en gros cubes ou en lamelles. Mettez-les dans un plat, saupoudrez-les de 30 g de sucre et arrosez-les de calvados. Couvrez et laissez macérer 1 h environ.

2. Beurrez quatre ramequins et répartissez-y les morceaux de pommes avec leur jus de macération.

3. Faites bouillir le lait avec la cuillerée à soupe de sucre et la gousse de vanille fendue dans le sens de la longueur. Retirez la casserole du feu et enlevez la gousse de vanille ; extrayez-en la pulpe en grattant l'intérieur et remettez-la dans le lait. Laissez refroidir. Ajoutez alors les jaunes d'œufs l'un après l'autre dans le lait. Battez le blanc en neige pas trop dure et incorporez-le au reste. Répartissez ce mélange sur les pommes. Faites cuire les gratins environ 10 mn sur une grille à mi-hauteur du four, préalablement chauffé à 210 ºC, puis saupoudrez de sucre et poursuivez la cuisson une dizaine de minutes.

4. Battez la crème fraîche avec le sucre jusqu'à ce que vous obteniez un mélange ferme, mais pas trop dur, et versez-le sur les gratins de pommes chauds juste avant de servir.

Gratin aux fraises des bois

Il faut, pour 4 personnes :
40 g de pâte d'amandes
3 à 4 cuil. à soupe de crème fraîche
Sucre (20 g + 1 cuil. à soupe)
1 cuil. à soupe de rhum brun
Beurre (pour les ramequins)
200 g de fraises des bois ou,
à défaut, de petites fraises du jardin
12,5 cl de lait
2 jaunes d'œufs
2 blancs d'œufs
1 cuil. à soupe de sucre
30 g d'amandes effilées
Sucre en poudre

Temps de préparation : 30 à 40 mn.

Temps de cuisson : 20 à 25 mn.

1. Battez au fouet la pâte d'amandes coupée en petits morceaux avec la crème fraîche, les 20 g de sucre et le rhum, jusqu'à ce que vous obteniez une masse lisse et mousseuse.

2. Beurrez quatre ramequins et garnissez-les de la préparation à la pâte d'amandes. Triez les fraises (ne les lavez pas) et répartissez-les dans les ramequins.

3. Mélangez le lait avec les jaunes d'œufs. Battez en neige ferme les blancs d'œufs avec le sucre (1 cuillerée à soupe) et incorporez-les délicatement au lait. Versez le mélange sur les fraises et parsemez d'amandes effilées. Faites cuire 10 mn, sur une grille à mi-hauteur du four préchauffé à 200 ºC. Saupoudrez de sucre et faites cuire encore 10 à 15 mn, jusqu'à ce que le dessus soit joliment caramélisé.

Gâteau de riz soufflé aux framboises

Photo ci-contre

Il faut, pour 4 à 8 personnes :
1/2 l de lait
1 pointe de sel
1 cuil. à soupe de sucre
1/2 gousse de vanille
100 g de riz rond
40 g de beurre
40 g de pâte d'amandes
50 g de sucre
2 jaunes d'œufs
2 blancs d'œufs
250 g de framboises fraîches
ou surgelées
2 cl de rhum
1 cuil. à soupe de jus de citron
Beurre pour graisser le plat
Pour la meringue :
3 blancs d'œufs
90 g de sucre

Temps de préparation : 45 mn.
Temps de cuisson : 30 à 40 mn.

1. Amenez à ébullition le lait avec le sel, 1 cuillerée à soupe de sucre et la gousse de vanille fendue en deux. Faites bouillir ; après quelques bouillons, retirez la gousse de vanille, raclez-en la pulpe et mettez celle-ci dans le lait. Versez le riz en pluie et laissez-le gonfler, sur feu très faible, pendant 20 à 30 mn. Le riz doit être cuit tout en restant un peu ferme. Otez la casserole du feu et laissez refroidir son contenu.
2. Malaxez ensemble, avec une fourchette, le beurre, la pâte d'amandes coupée en petits morceaux et 25 g de sucre, jusqu'à ce que vous obteniez une pâte bien crémeuse. Ajoutez alors, un à un, les jaunes d'œufs, mélangez bien et versez dans le riz refroidi.
3. Battez les blancs d'œufs en neige, versez en pluie les 25 g de sucre restants et incorporez délicatement la neige ferme à la préparation au riz.
4. Beurrez un plat à gratin, disposez, au fond, les framboises, versez en filet le rhum et le jus de citron, recouvrez avec le riz et lissez la surface. Faites cuire 30 à 40 mn au four préchauffé à 200 ºC (grille placée à la glissière inférieure).
5. Environ 10 mn avant la fin de la cuisson, préparez la meringue : battez les blancs d'œufs en neige ferme en versant le sucre petit à petit. Remplissez une poche à pâtisserie munie d'une grosse douille cannelée de cette neige et, dès que le gâteau est cuit, « meringuez-le ». Montez la température du four à 250 ºC et laissez gratiner le gâteau jusqu'à ce qu'il soit doré.

Gratin de fruits au sabayon

Il faut, pour 6 personnes :
Des fruits frais de saison,
par exemple : 2 poires, 2 pommes,
1 banane, 1 grappe de raisin
(en hiver), 2 kiwis, 1 mangue,
2 oranges (en saison), 1 melon,
200 g de fraises,
200 g de framboises, 1 orange,
3 abricots (en été), etc.
1 petit pot
de crème fraîche liquide (125 g)
6 jaunes d'œufs
125 g de sucre
1 petit verre à liqueur (2 dl) de marsala (vin doux italien) ou du vin doux sucré (Beaumes-de-Venise, Frontignan, etc.)

Temps de préparation : 30 mn.
Temps de cuisson : 15 mn environ.

1. Épluchez les fruits, ôtez noyaux, pépins, parties dures, etc., et coupez-les en tout petits morceaux. Pesez-les ; il faut que vous obteniez environ 500 g de fruits net. Répartissez tous ces petits cubes de fruits dans un plat à gratin, n'omettez surtout pas leur jus, car c'est ce qui fera le « fondant » du gratin.
2. Battez la crème fraîche jusqu'à obtenir de la chantilly ; pour cela, utilisez de préférence un récipient qui aura été placé au réfrigérateur, de la crème fraîche « fleurette » bien froide et un batteur électrique.
3. Préparez le sabayon : mettez dans un saladier tous les éléments du sabayon : les jaunes d'œufs, le sucre et le vin doux. Battez au fouet quelques instants, puis mettez le saladier dans un bain-marie. Placez-le sur feu moyen et continuez de battre jusqu'à ce que le mélange blanchisse et devienne légèrement mousseux. Hors du feu, versez alors la chantilly, par petites cuillerées, en soulevant bien la masse.
4. Répartissez le sabayon sur les fruits de sorte qu'ils en soient bien recouverts.
5. Allumez le gril du four thermostat 6, et faites-y gratiner le sabayon environ 15 mn.

Index